SEYRAWYN Jeunesse

FUTURS GARDIENS

1. ENTRAÎNEMENT À HINRIK

MARTIAL
GRISÉ

MARYSE
PEPIN

Éditions
McGray

DES MÊMES CRÉATEURS

Collection SEYRAWYN Aventures

(adolescents et adultes)

TRILOGIE DE LA PREMIÈRE QUÊTE

Le conflit des druides T1 (Première impression 2012)
La quête des druides T2   (Première impression 2013)
La justice des druides T3   (Première impression 2013)

DEUXIÈME QUÊTE

Reliques de Dragon (Première impression 2014)
Sauront-ils protéger La Source?

Collection Seyrawyn jeunesse
FUTURS GARDIENS

(9-12 ans) • 6 numéros

1 • Entrainement à Hinrik (Première impression 2015)

Suivez toutes les aventures des futurs Gardiens du territoire!

Collection Seyrawyn junior   (7-10 ans)
LES DRAGONNIERS

Numéros 1 à 4 (2014), 5 à 10 (2015-2016)

Un œuf de Dragon? Un vrai?

PRODUITS DÉRIVÉS :

Œufs de Dragon dans leur boursette de cuir (www.Seyrawyn.com)
Accessoires de cuir : brassards, couvre-livres
(www.Au-Dragon-Noir.com)
Marteaux de Lönnar et armes en mousse pour GN
(www.Calimacil,ca)
Bijoux - Joncs de Dvalin (www.dracolite.com)

Auteurs: **Martial Grisé**
et **Maryse Pepin**

Graphisme, typographie et mise-en-page, conception et réalisation de la couverture, des illustrations, des dragons et des cartes : Maryse Pepin

Éditeur : **Les Éditions McGray**

Saint-Eustache (Québec) Canada

Courriel :info@seyrawyn.com

www.EditionsMcGray.com / **www.Seyrawyn.com**

facebook / Seyrawyn – page officielle
/ Les gardiens des œufs de dragon / Dragon Eggs Keeper

Disponible en librairie et via Internet

ISBN 978-2-924204-504 (imprimé)
ISBN 978-2-924204-511 (epub) • ISBN 978-2-924204-528 (pdf)

Dépôt légal : 2015

Catalogage avant publication de Bibliothèque et Archives nationales du Québec et Bibliothèque et Archives Canada

Grisé, Martial, 1967-
    Futurs gardiens
    (Collection Seyrawyn jeunesse)
    L'ouvrage complet comprendra 6 volumes.
    Comprend des références bibliographiques et un index.
    Sommaire : 1. Entrainement à Hinrik.
    Pour les jeunes de 9 à 12 ans.

    ISBN 978-2-924204-50-4 (vol. 1)

I. Pepin, Maryse, 1968-   . II. Grisé, Martial, 1967-   .
Entrainement à Hinrik. III. Titre.

PS8613.R645F87 2015   jC843'.6   C2015-941217-X
PS9613.R645F87 2015

Imprimé au Canada

Mot des auteurs
TOUT A COMMENCÉ avec un OEUF!

Nous sommes Grim McGray et Marie-Calina,
auteurs dans la vraie vie et Vikings sur Arisan.
Nous habitons Alvikingar, la Capitale.

Nous sommes heureux de t'inviter à venir nous
rejoindre dans notre univers médiéval fantastique!

Si au départ l'aventure a commencé avec
nos fameux œufs de Dragon, elle se continue
avec toi, car tu en fais aussi partie…
il te suffit de croire à la magie des Dragons!

Martial / Grim McGray

Maryse
Marie-Calina

Auteur, éditeur, artiste, artisan du cuir et acteur
Martial Grisé - 1967 de St-Eustache (Qc)

Homme de défis et de passions, Martial Grisé est reconnu pour son engagement dans la communauté médiévale du Québec. Son écriture s'inspire de ses longues années de jeu à Donjons & Dragons et de Grandeur Nature. Il se présente lui-même comme un elfe créatif, un Viking déterminé et un preux chevalier.

L'elfe est son côté créatif et artistique : arts de la scène, figuration, télévision, arts de combat. Il crée aussi des accessoires de cuir d'inspiration médiévale. Le Viking est son côté qui prend des risques et qui relève les défis. Le chevalier représente sa conscience et la sagesse qui maintiennent l'équilibre entre l'elfe et le Viking.

Des milliers d'œufs de Dragon plus tard, en collaboration avec sa partenaire, l'artiste Maryse Pepin, il offre à ses dragonniers et dragonnières les palpitantes collections Seyrawyn.

Auteure, artiste, designer graphique et illustratrice
Maryse Pepin - 1968 de Lachute (Qc)

Depuis 1988, Maryse Pepin dirige avec brio son bureau de design graphique. Ses projets se démarquent par la justesse et la qualité de ses concepts. Avec son partenaire de vie et d'affaires Martial Grisé, elle développe leur maison d'Éditions McGray.

Créatrice en ébullition, l'artiste a une plume sensible et affirmée. Elle a donné vie aux dragons originaux, conçoit les couvertures des livres et signe l'ensemble des images du monde de Seyrawyn. Elle adore aussi partager sa passion pour les Dragons et le monde médiéval fantastique.

Enfin, Maryse Pepin s'est toujours sentie concernée par le développement identitaire des enfants. Parent de quatre jeunes, elle écrit en s'inspirant d'émotions et de récits véritables. Venez vivre une belle aventure!

Dans quelques années,
Marack fils de Marack le guerrier viking,
Miriel la druidesse et Arafinway l'éclaireur elfique
deviendront des Gardiens du territoire.
Voici les aventures de leur entrainement!

•

Vous trouverez les cartographies et des informations
supplémentaires sur l'ile d'Arisan à la fin de ce livre,
dans les notes tirées d'un grimoire du voyageur.

L'ère des dragonniers est commencée.

Chapitre 0

Tout a un commencement :
Une colonie sur Arisan

Les Vikings de l'Ancien Continent, peuple scandinave, étaient des colonisateurs férus de voyages, d'aventures et de magie. Ils étaient aussi reconnus pour leur efficacité dans les combats contre les créatures les plus maléfiques. Aucun orc, gobelin ou démon n'échappait à la frappe de Tyr, dieu de la guerre et de la justice.

Le strandhögg[1] de Tyr et de son fils Lönnar, dieu de la justice et de la nature, commandé par le druide Arminas, partait souvent en mission pour rechercher à travers les mondes de sinistres créatures hors-la-loi. Sous la gouverne magique de leur mage Beren, prêtre de Tyr, cette escouade était composée de Grim McGray, le marchand et traqueur, de Lars le scalde et de Marack père, tous trois fameux Kriegers[2] aguerris.

---

[1] strandhögg : terme viking, petit commando préparé pour un raid éclair
[2] Krieger : guerrier vétéran viking

Or, lors d'une expédition de chasse, ils furent aspirés par un portail qui les conduisit sur l'ile perdue d'Arisan.

Acceptant l'énorme responsabilité léguée par le Grand Gardien de *La Source*, le groupe revint avec familles et amis pour coloniser les Terres d'Aezur. Ils s'installèrent dans cette zone inhabitée et devinrent ainsi les Premiers Gardiens et Jarls[3] des six grandes villes fortifiées.

Arminas s'installa près de *La Source* à Feygor, Saint-Beren, Grim et son épouse Marie-Calina à la Capitale Alvikingar, Marack et Lassik à Hinrik et enfin Lars à Yngvar. Par la suite, le capitaine Njal protégea la tour de Gousgar et le seigneur elfique Hindwimrin Tinwë la tour de Vanirias.

Ils y découvrirent différents peuples aussi surprenants les uns que les autres. Par ailleurs, les vénérables Dragons, nombreux sur l'ile, les observaient discrètement depuis plusieurs Solstices.

Mais un grand territoire et *La Source* attisent les convoitises… Ainsi, les attaques de leur voisin de l'Est, le roi des Géants de pierre Arakher, étaient de plus en plus téméraires, car ce dernier cherchait constamment à agrandir son royaume.

Dans une alliance stratégique, les Vikings, les druides, les elfes et Lassik, le Géant des montagnes formèrent de redoutables Gardiens du territoire afin de protéger la nouvelle colonie

---

[3] Jarl : responsable d'une ville viking

contre les envahisseurs. Leur effigie était le marteau à deux têtes de bélier pour les guerriers et un bâton d'office pour les druides, le fameux Salkoïnas aux propriétés surnaturelles.

Comme le pire était à craindre, les Maîtres d'armes intensifièrent l'entrainement des futurs gardiens.

Miriel, la druidesse, Marack fils de Marack, le guerrier viking et Arafinway, l'éclaireur elfique seront-ils prêts à temps pour accomplir leur destinée?

La forteresse d'Hinrik

Le soleil venait à peine de se lever qu'on entendait déjà les rumeurs de la vie quotidienne venant de la ville d'Hinrik. Cette imprenable forteresse entourée d'immenses pieux de bois effilés abritait plusieurs milliers de Vikings. Une brume humide flottait encore sur la plaine déboisée qui l'entourait.

Peu à peu, les vigies postées sur les hautes tours de guet pouvaient maintenant apercevoir au loin le feuillage bleuté du majestueux châtaignier d'Och à la lisière de la forêt des Ancêtres. À moins de vingt minutes de marche des remparts, la dense végétation créait une barrière naturelle contre les éventuels envahisseurs. Par contre, elle offrait aussi une cachette idéale pour les observateurs.

Dans une petite clairière derrière les arbres, bien à l'abri des regards indiscrets, trois guerriers étaient déjà à l'entrainement. En fait, deux hommes vikings étaient paresseusement observés par un sympathique géant poilu affalé sur un rocher.

Normalement, les représentants de cette race des montagnes ne descendent jamais aussi loin de leur territoire enneigé, au sud-ouest de leur position actuelle. Mais Lassik Patte d'ours, géant du clan des Loups des Neiges et haut comme deux hommes, avait une pensée différente de ses congénères. Plutôt que d'être un rustre, il savourait la plénitude du savoir et de l'alchimie.

D'une allure humaine avec de longs cheveux embroussaillés, il avait pour seule arme son bâton de marche, un jeune arbre en fait. D'ailleurs, il ne faisait aucun doute qu'il pouvait balayer d'une seule main au moins trois ennemis à la fois.

Lorsque l'ainé des Vikings asséna un énième coup à son élève, le géant soupira de nouveau.

—Pffff! fit-il d'un air ennuyé.

—La connaissance est une arme redoutable dans les mains de celui qui sait s'en servir! gronda le vaillant Krieger en pivotant autour du jeune.

Marack père, le Jarl d'Hinrik, était un homme imposant doté d'une force de caractère peu commune. L'air sombre, le crâne rasé et portant deux longues moustaches et barbichette, c'était

un fier combattant au long parcours de quêtes et d'aventures. Fin stratège et infiniment logique, il estimait toutes les armes, mais affichait une nette préférence pour les lourds marteaux de guerre.

De plus, ce maître d'armes d'expérience était cultivé et portait une attention particulière à l'éducation de son fils.

De nouveau désarmé, le jeune et vigoureux Marack fils de Marack retira rageusement le bandeau de coton qui lui couvrait les yeux.

Vêtu d'une armure de cuir souple sur sa tunique noire, le garçon récupéra son arme tombée dans la rosée à quelques pas devant lui.

—Mon gars, nous n'avons pas tout l'avant-midi... un peu plus de nerf, pardi! Je dois t'enseigner tout ce que je connais afin que tu puisses accomplir la glorieuse mission de notre famille. À ce rythme, tu ne seras jamais prêt pour ta graduation dans trois ans!

—Oui, Jarl! répondit énergétiquement le guerrier en empoignant son marteau de fer.

—Replace ton bandeau et concentre-toi sur tes autres sens, recommanda le maître.

—Mais comment puis-je anticiper tes attaques? Elles sont bien trop sournoises! s'objecta furieusement le jeune Viking en obéissant à l'ordre.

—Il te faut devenir maître de ton environnement. Sois donc attentif! lui répondit son ainé avec

un brin d'impatience. Hume les odeurs de la guerre... Écoute les bruits qui t'entourent... Si ton ennemi est bien entrainé et demeure silencieux, alors deviens plus rusé que lui. Provoque-le! Énerve-le! Force-le à commettre une erreur que tu pourras utiliser à ton avantage.

Whack! Whack! Chtonc! Klang!

—Ah! Enfin! s'exclama Marack père. Tu as réussi à esquiver les coups, paré de ton bouclier et contre-attaqué par la suite! Voilà, refais-le! Encore!

Armé de sa trique[4], le Jarl s'élança dans une séquence de coups sur son élève toujours aveugle. Il exagérait ses attaques en effectuant des déplacements suffisamment bruyants pour permettre à Marack fils d'entendre et d'anticiper ses mouvements.

Whack! Klang! Whack! Chtonc! Swoop! Klang! Clac!

—Aïe! s'écria le jeune guerrier en massant le côté de sa cuisse.

—Cette attaque est spécialement conçue pour invalider mon adversaire. Elle agit directement sur le nerf de sa jambe. Heureusement pour toi que je n'y ai pas mis toute ma force! déclara le maître. Car autrement, tu serais étendu sur le sol à te tordre de douleur.

---

[4] trique : gros bâton utilisé comme arme pour frapper.

Le jeune fringant arracha de nouveau le bandeau, plissa les yeux sous la lumière et releva la tête en signe de défi.

—AARRRGGGHHH! hurla-t-il en fonçant sur son père. La prochaine fois que nous ferons cet exercice, j'insiste pour que tu y appliques toute ta force!

Le maître para aisément la furie de son jeune élève.

« Hum, il a du potentiel... », songea-t-il avec satisfaction.

—Si je ne suis pas en mesure d'esquiver tes coups, alors il me faudra apprendre à combattre avec la douleur, continua le guerrier avec fougue.

Un peu plus tard, la fatigue commença à se faire sentir et les coups devinrent plus mous.

—Je crois qu'il en a assez! ronchonna[5] le géant des montagnes. Voilà deux heures que je vous regarde échanger des petites tapes!

Les combattants finirent par s'arrêter, essoufflés.

—Mon cher ambassadeur Lassik Patte d'ours, votre assistance dans cet exercice a été des plus appréciée! lui lança le Jarl d'Hinrik sur un ton moqueur.

—Hum? Que veux-tu insinuer par là? interrogea le géant en fronçant ses épais sourcils

---

[5] ronchonner : manifester son mécontentement en grognant, en protestant avec mauvaise humeur

broussailleux. Je suis resté bien tranquille sur mon rocher!

—Précisément! Je m'attendais à ce que tu sois beaucoup plus participatif! À moins que tes longues heures à concocter des mixtures alcoolisées ou de nouvelles potions magiques ne t'aient rendu trop flemmard[6]…

C'en était assez. Lassik se leva d'un bon en faisant trembler le sol.

Vêtu d'un surcot[7] éculé de cuir brun, il portait une sacoche et une gourde de cuir en bandoulière. À sa ceinture, trônait son escarcelle[8], encadrée d'un grand nombre d'accessoires utiles et futiles : quelques dagues, des colliers et autres grigris, des lacets de cuir, un foulard.

Il empoigna son gourdin aussi gros et long qu'un jeune arbre et s'élança à l'attaque du Jarl.

Bunk! Bunk! Bunk! Crac! Clac!

Devant cette menace aussi soudaine qu'inattendue, Marack père fut pris d'un fou rire incontrôlable. Sous le regard ébahi de son fils, le maître opta pour une tactique plutôt comique : au lieu de parer directement les coups puissants de son ami, il tourna autour de lui et se faufila facilement hors de portée des élans du géant. Il le narguait amicalement par sa souplesse en riant.

---

[6] flemmard : qui n'aime pas faire d'efforts, travailler; synonyme de mou, de paresseux

[7] surcot : vêtement porté par-dessus la tunique

[8] escarcelle : grande bourse suspendue à la ceinture

—Allez, hop! Oups, manqué! lança-t-il encore à la volée.

Soudain, Lassik se choqua pour vrai et attrapa l'homme au passage. En un seul coup, la force brute du géant eut raison de la pauvre trique du Jarl. Elle se fracassa en deux et l'attaque suivante se logea exactement sur le côté gauche de la jambe du Krieger. En fait, le géant avait choisi l'endroit précis où le père avait touché le fils auparavant.

—Aaaaaïe! hurla le Jarl en lâchant son arme pour maintenir sa cuisse entre ses deux mains.

Il ne riait plus. Fort surpris, il regarda son ami se redresser fièrement.

—Comment disais-tu déjà? Moi, un flemmard? Quel culot de Viking! râla le géant en le toisant[9] avec un grand sourire.

Marack fils suivait attentivement la curieuse scène. Du coup, il employa toute sa discipline pour retenir à son tour un fou rire devant la dure leçon infligée à son père.

—Merci, Maître Lassik! lança joyeusement le jeune. Je crois que je comprends mieux la portée de cette attaque lorsqu'elle est assénée sur quelqu'un que je peux voir!

—Comme tu peux le constater, elle peut devenir assez efficace pour immobiliser ton assaillant, rouscailla[10] le géant des montagnes. Elle

---

9   toiser : regarder avec défi ou mépris
10   rouscailler : protester, rouspéter

permet également de bien faire comprendre à l'ami qui t'insulte qu'on n'apprécie pas de se faire réveiller au petit matin pour regarder deux lascars[11] se taper dessus!

Lassik appuya son commentaire en frappant le sol de son gourdin.

—Lorsque vous aurez tous les deux terminé de vous moquer de moi, j'apprécierais un peu d'aide pour le retour, si ce n'est pas trop vous demander! gémit le Jarl en frottant sa cuisse douloureuse.

—Négocie cela avec ton fils! lança le géant. Il semble que je sois trop mou pour porter assistance à qui que ce soit... Je vais donc retourner à Hinrik et me concocter un petit rafraichissement. Si vous ne perdez pas trop de temps en route et que tu réussis à te rendre jusqu'à l'auberge du Troubadour Volant, un pichet pourrait t'y attendre, mon ami... Oh, oh! Comme je sens monter une énorme soif! Et puis, un gosier sec de géant, c'est très difficile à désaltérer... insinua-t-il de fort bonne humeur à cette idée.

Lassik s'empressa en direction de la ville et laissa derrière lui le père et le fils.

Un peu plus tard, Marack père donna congé à son porteur et fit son entrée dans l'auberge en boitant. Son géant ami l'y attendait tranquillement, bien installé à une table démesurément grande pour un humain.

—Mais je t'en prie, assieds-toi , ô robuste Jarl d'Hinrik, se moqua gentiment Lassik.

—Tu aurais pu retenir un peu ta force pour me frapper la jambe! se plaignit l'autre.

—Mais c'est exactement ce que j'ai fait! se défendit le géant. Je t'ai à peine effleuré... Imagine! Si j'y avais vraiment mis toute ma puissance, tu porterais le surnom d'*estropié*[12] pour le reste de la vie!

Le Jarl fixa son ami d'un air incertain, ne sachant trop où se situait la vérité dans cette affirmation. Ne voulant pas s'engager dans une autre trop longue discussion, il préféra oublier cet incident. Il avait d'ailleurs d'autres urgences à discuter avec son compagnon d'armes.

Soudain, le géant cogna son cruchon d'hydromel sur la table et servit un autre verre à son ami.

—Dis-moi sérieusement, Marack. Est-ce vraiment nécessaire de pousser ton jeune comme tu le fais? demanda le géant. Tu en demandes beaucoup pour un garçon de son âge. Seize ans, c'est encore un nourrisson... du point de vue d'un géant, évidemment.

---

[12] estropié : invalide, éclopé

—En fait, non, c'est un homme maintenant. Il aurait déjà dû être sur les champs de bataille depuis plusieurs solstices. Tu sais comme moi qu'il devra prendre la charge à son tour, comme je l'ai fait après mon père, et lui-même après mon grand-père, se défendit avec vigueur le Jarl. J'essaie seulement de le préparer correctement à sa noble mission. Il devra parer à toutes les éventualités et ne JAMAIS faillir. C'est tout de même un Marack!

Le père devint soudainement exalté. Trop d'enjeux importants dépendaient de la réussite de son fils!

—Et pourtant, reprit le géant, tu sais très bien que d'ici tout au plus une année, il pourra facilement passer la partie finale de l'épreuve du gantelet[13] d'Hinrik, le *Jugement de Tyr*, et devenir Gardien du territoire. Il serait un fier représentant de Lönnar contre nos ennemis. Alors pourquoi t'acharnes-tu à lui enseigner durant encore plusieurs années tout ce que tu connais? Espèce de… de Jarl entêté!

« Il vaut mieux pour lui d'être trop préparé que d'échouer… » pensa Marack père.

—C'est une entente que j'ai conclue avec Arminas, déclara-t-il enfin. Mon fils accompagnera Miriel lorsqu'elle aura atteint le droit de choisir ses coéquipiers pour son groupe de Gardiens du territoire.

---

[13] gantelet : employé ici en tant qu'épreuve physique

Lassik le regarda avec surprise.

—Tu as convenu avec le Grand Druide de Lönnar, le chef spirituel des druides et de notre colonie, que ton fils aura la charge de veiller sur son unique et précieuse fille?

—Oui, c'est un peu ça! acquiesça le Jarl. Maintenant, arrête de me poser des questions et remplis ma chope. Je dois te faire part des derniers rapports de mission.

Lassik écouta attentivement.

—Depuis ces derniers mois, commença le Jarl, nos groupes de gardiens croisent de plus en plus souvent des compagnies de soldats ennemis qui tentent de franchir nos frontières. Par chance, nos troupes d'élite appuyées par les effectifs de la tour elfique de Vanirias ont toujours su les repousser.

—C'est normal! La magie de ces elfes conjuguée à l'adresse des archers, au sommet de leur tour-arbre, ont toujours fait battre en retraite toutes les hordes d'attaquants, louangea Lassik avec admiration.

—Oui, je suis d'accord avec toi. Mais je soupçonne que notre ennemi a à sa disposition un effectif plus imposant qu'il veut bien nous laisser croire. Tout semble indiquer qu'actuellement ils ne font que tester nos défenses. Certains ont même tenté de passer par les monts Krönen à l'est ou, pire, par les montagnes d'Orgelmir au sud…

—Mais c'est de la folie et tu le sais bien! Mon clan de géants et ceux qui se regroupent sous sa bannière demeurent dans ces montagnes. Rien ni personne n'est assez fou pour traverser ces territoires! Ce serait la mort presque assurée! Lorsque la nature ne te pourfend pas, c'est un prédateur qui s'en charge. Si c'est une attaque de ce genre qui te turlupine, tu peux dormir en toute quiétude, mon ami!

—Tu le crois vraiment? douta encore le Jarl. Je n'arrive pas à me résoudre à laisser ramollir nos gardes…

—Le travail que tu accomplis ici à Hinrik, cette ville de futurs Gardiens du territoire à l'entrainement, est la clé de tout votre système de défense. Et je ne connais personne qui prend aussi à cœur ces jeunes que toi, mon cher ami. Alors, fais-moi plaisir et cesse de te tracasser. Les rapports font probablement mention de groupes isolés d'éclaireurs qui réussissent à franchir les barrières naturelles des Terres d'Aezur, mais ils ne survivent jamais assez longtemps pour être une menace sur notre territoire.

—Tu as sans doute raison. En quelques années seulement, nous avons fortifié les six villes qui protègent notre communauté d'elfes et de Vikings. Nous avons de quoi être fiers d'un tel exploit!

—Skål![14] s'écrièrent les deux compagnons en levant leur chope.

—Ainsi, maintenant que je t'ai rassuré, tu vas relâcher un peu l'entrainement de ton fils, résuma Lasssik.

—Non, pas du tout! s'exclama Marack père. Ça ne change rien à mes intentions. J'en ai fait un défi personnel en tant que Gardien du Secret. D'ailleurs, Storka et moi avons convenu de travailler sur le cas de mon fils aussi souvent qu'il nous sera possible de le faire, conclut le Jarl en mettant la main à sa ceinture.

Inconsciemment, le Viking protégea sa petite boursette de cuir noir à l'effigie d'un dragon.

Le géant saisit le pichet d'hydromel avant que son ami ne se resserve un verre et le cala en une gorgée.

—Vous êtes vraiment têtus, tous les deux! pesta Lassik en regardant la boursette, puis son ami.

La recrue

La ville fortifiée d'Hinrik s'animait rapidement chaque matin. À l'intérieur des hauts murs de bois, les boulangers avaient cuit le pain durant la nuit et leurs enfants le vendaient au coin des rues. Les artisans ouvraient leurs échoppes, les lavandières nettoyaient les vêtements aux fontaines, les aubergistes offraient le repas ou secouaient les couvertures, l'apprenti du forgeron alimentait le feu de la forge, le boquetier fabriquait des sabots…

Ainsi, chacun accomplissait toutes ses tâches quotidiennes afin de rendre l'existence des résidents la plus agréable possible.

Le programme des futurs gardiens comprenait six jours d'entrainement, suivis de deux jours de repos et de deux jours de travaux communautaires. La vie commençait toujours à l'aube. Les garçons se chamaillaient encore dans leurs dortoirs en ajustant leurs tuniques tandis que Miriel et quelques filles discutaient entre elles dans leur gite.

Tous les jeunes gens avalaient ensuite en vitesse un petit déjeuner frugal composé de pain et de fruits avant de se présenter pour l'entrainement matinal. Ils se retrouveraient plus tard en après-midi pour déguster une chaudrée de poisson, des légumes, de la viande rôtie de la veille et de la bière de malt dans les différentes auberges désignées.

À l'extérieur des murs, la plaine grouillait de vie au fur et à mesure que les groupes de futurs gardiens prenaient position autour de leurs chefs respectifs.

Sous la responsabilité du Jarl de la ville, plusieurs maîtres d'armes étaient spécialisés et s'affairaient à discipliner leurs équipes. Même si chaque jeune avait déjà choisi sa vocation de guerrier, de druide ou d'éclaireur, la formation dispensée à Hinrik approfondissait leurs notions dans l'art du combat.

Dame Qualla, une jeune femme elfique de quelque 350 années de vie, maître éclaireuse accomplie, avait fait le serment d'entraîner la relève. Elle admirait ces jeunes pleins de vitalité qui s'attroupaient rapidement.

« Notre entrainement rigoureux a pour but de bien les préparer à l'immense responsabilité qui les attend, songea-t-elle. Constamment sous la pression de nos voisins belliqueux[15], ils représentent la première ligne de défense pour

---

repousser nos ennemis qui n'ont qu'un but : s'emparer de nos Terres d'Aezur et de La Source… »

—Arafinway! Dis-moi, où est Marack fils? se renseigna-t-elle soudainement.

—Vous me parlez à moi? sursauta l'elfe en sortant brusquement de sa rêverie. Heu… Je ne sais pas, Maître Qualla.

Le jeune elfe blondinet à la frêle ossature savait très bien que son ami lève-tôt quittait une journée sur deux les baraquements où ils étaient logés. Mais jusqu'à présent, la curiosité n'avait pas encore réussi à le pousser hors de son lit pour le suivre. Il haussa les épaules d'impuissance.

—Et toi, Miriel Calari, sais-tu où se trouve le guerrier de ton groupe? s'enquit de nouveau la maître d'armes auprès des son aspirante gardienne.

La jeune elfe, fille du Grand Druide Arminas, n'aimait pas être pointée du doigt, surtout si la raison ou le tort ne la concernait en rien. Cependant, en tant que druidesse, elle assumait souvent avec brio le rôle de cheffe et cela lui valait des commentaires élogieux de la part de ses supérieurs. Par contre, le grade était également accompagné de responsabilités supplémentaires.

—Il est … Il est… balbutia-t-elle en baissant le menton.

La druidesse ferma les yeux et inspira profondément en pestant contre son ami. Lorsqu'elle ouvrit les paupières, elle aperçut la silhouette grandissante de Marack fils derrière la femme elfique.

—Eh bien, jeune demoiselle?

—Il arrive justement au pas de course derrière vous, Maître d'armes Qualla, répondit Miriel dans un souffle de soulagement.

Voyant que l'attention de tous était maintenant rivée sur le guerrier, elle releva la tête, et son épaisse chevelure brune à peine domptée lui retomba sur les épaules.

—Pfff! Pfff! Désolé du retard, mon assistance était requise par mon père, expliqua le jeune homme en reprenant son souffle.

—Ah! je vois. Tu n'es pas trop essoufflé, j'espère? lui sourit la dame elfique.

—Non, non, tout va bien! répondit-il poliment en se plantant devant elle.

—Alors tant mieux. Pour être arrivé en retard à l'entrainement, tu devras faire un tour complet des remparts de la ville au pas de course, ordonna Qualla avec fermeté.

—Mais je n'ai fait qu'obéir aux ordres! se défendit Marack fils, estomaqué.

—Moi aussi, rétorqua sérieusement la maître d'armes. C'est la consigne officielle du Jarl d'Hinrik pour ce genre d'infraction. Bonne

randonnée! Ne prend pas trop de temps, car d'autres conséquences imaginées par ton père pourraient s'appliquer.

Marack s'apprêtait à repartir lorsqu'une énorme hache à deux tranchants atterrit à quelques foulées[16] devant lui.

—Au pas de course avec une arme dans les mains, précisa un second maître d'armes tout près.

Marack fils ramassa la lourde hache et en balança le poids sur ses épaules. Il releva la tête d'un air maussade, la bouche ouverte.

« Tais-toi, Marack… tais-toi, au cas où… chut! pensa Miriel en le dévisageant, il y a fort probablement déjà une conséquence pour avoir répliqué! »

Le jeune homme la regarda et entreprit sa sanction en silence.

« J'aurais dû accompagner le géant pour le retour vers Hinrik. Cela m'aurait évité de recevoir l'ordre de mon père de lui porter assistance! », pesta intérieurement le jeune guerrier en gardant la cadence.

Il arbora enfin un large sourire lorsqu'il se remémora la scène de combat entre son père et Lassik.

---

[16] foulée : ordre de grandeur pour mesurer la longueur, soit un pas d'homme, un pied ou trente centimètres.

La majeure partie de la journée fut employée à l'exercice du maniement des armes. Chacune des castes de guerriers, de druides ou d'éclaireurs devait approfondir ses connaissances dans l'art de guerroyer ainsi qu'améliorer son endurance physique. Comme très peu de chevaux étaient disponibles, la plupart des trajets se faisaient à pied, barda[17] sur le dos. D'ailleurs, les patrouilles à travers les bois restreignaient considérablement le besoin de montures.

En milieu d'après-midi, la visite-surprise du Jarl de la ville d'Hinrik vint briser la monotonie des longues heures de combat. Ce dernier s'approcha des groupes de maître Quella et leur ordonna d'arrêter leurs activités en se regroupant.

—Bonjour à tous! lança-t-il avec entrain.

Personne, sauf son fils Marack évidemment, ne remarqua qu'il boitait encore légèrement.

Tous les yeux étaient rivés sur celle qui accompagnait leur Jarl : une jeune et jolie demoiselle humaine à la peau claire parsemée de taches de rousseur. Elle était vêtue d'une tunique en soie recouverte d'une cape de velours violet brodée d'argent. Elle portait un sac de voyageur en bandoulière et son barda personnel. À contre-jour, ses cheveux ondulant sur ses épaules paraissaient encore plus dorés.

Plus encore, elle tenait avec fierté un étrange bâton de métal aux reflets chatoyants, presque

---

[17] barda : équipement, bagage

aussi grand qu'elle, et ayant à son extrémité une tête de dragon forgé.

—J'aimerais vous présenter une nouvelle alliée et future Gardienne du territoire. Elle arrive directement de la capitale Alvikingar et son père est le maître mage artilleur de la ville.

Marack père encouragea la jeune fille à se présenter personnellement.

—Mon nom est Roxane Cenak. Je suis aussi une mage artilleur, commença-t-elle avec assurance. Mon père désire que j'apprenne plusieurs techniques de combat et c'est pourquoi je me retrouve maintenant ici, à la campagne…

Elle termina sa phrase avec une moue de dédain en balayant l'assistance du regard.

—Je la connais… murmura Arafinway à son ami guerrier. Je l'ai déjà vue à Feygor, il y a de cela quelques années.

—Hum! Hum! grogna le Viking.

—Maintenant que les présentations sont faites, je vous laisse. Maître d'armes Qualla, veuillez assigner notre recrue à un groupe approprié, ordonna le Jarl.

—Il en sera fait selon la sagesse de Tyr et de Lönnar! répliqua la femme elfique.

Elle analysa rapidement les jeunes gens silencieux.

—Étant donné que le groupe de Miriel ne comporte que trois membres et que tous les

autres en comptent déjà quatre ou cinq, le choix ne sera pas trop difficile. J'affecte donc Roxane à cette équipe, pointa-t-elle en les désignant.

L'elfe lui envoya son plus beau sourire tandis que la druidesse fronça les sourcils.

—Miriel et Arafinway, je vous confie la responsabilité de faire connaitre à Roxane les us et coutumes de notre ville et de notre routine d'entrainement. Voyez aussi à ce qu'elle connaisse nos règles. Elle dormira également dans le gite de filles.

—Oui, Maître Qualla! répondirent les deux elfes.

—Marack fils de Marack, je ne t'attribue pas cette responsabilité de guide auprès de ton quatrième compagnon. Cependant, ton adresse dans le maniement de la plupart des armes te sera d'une grande utilité pour l'enseigner à Roxane et lui permettre de rattraper notre degré d'expertise.

Le guerrier hocha simplement la tête en signe d'assentiment, tout en maintenant le regard fixé sur la maître d'armes. Il ne s'agissait pas d'une punition à son égard, mais bien d'un signe de respect d'un combattant à un autre.

—L'entrainement est terminé pour aujourd'hui, déclara enfin Maître Quella. Préparez-vous et surtout reposez-vous bien, car je vous veux tous ici demain matin à la première heure. Pas de retardataire, sinon vous aurez la chance de contempler les remparts de près. Maintenant, déguerpissez!

—À la soupe! lancèrent plusieurs jeunes en reprenant leur équipement.

Ils se hâtèrent ensuite vers les auberges.

—Bienvenue, Roxane, dans notre groupe de futurs gardiens, la salua Miriel en lui tendant l'avant-bras comme le ferait une compagne d'armes.

La mage artilleur se retourna promptement sans la toucher.

« Peut-être ne connait-elle pas les courtoisies d'usage? » se demanda la druidesse de plus en plus troublée.

La magicienne regardait en silence la forteresse dans laquelle elle allait maintenant résider. Marack l'aborda avec courtoisie.

—Considère Hinrik comme ton nouveau chez toi, lui dit-il. Tu dois déjà te faire une opinion de cette grande ville aux gigantesques palissades de rondins de bois. Laisse-nous le temps de te la faire connaitre, elle n'est pas aussi austère que les gens le pensent! certifia le guerrier.

—Pardonnez mon manque d'enthousiasme, c'est sans doute le voyage... Oui, ça ne peut être que cela, je suis exténuée et en même temps dépassée par tout ce que je peux voir, déclara d'une voix douce la demoiselle.

—En effet, elle est impressionnante, n'est-ce pas? acquiesça Arafinway en offrant de nouveau un large sourire à sa nouvelle amie.

—Miriel, Marack et *Arafarinway*, c'est bien ça? soupira Roxane.

—Exact! Mais mon nom est plutôt Arafinway Merfeuille. Nous nous sommes déjà rencontrés à Feygor. Ton père était venu rejoindre le mien, il y a de cela plusieurs années maintenant. Je me souviens très bien de toi! C'est ton assurance... et tes cheveux de soleil qui m'avaient intrigué à l'époque, lui confia-t-il avec candeur. Il faut dire que ton nom de famille, Cenak, ne m'est pas étranger non plus. Mon père parlait du tien avec beaucoup de déférence[18].

—Arafinway Merfeuille... Aaaah! Oui, je me souviens de toi. Tu étais le petit garçon qui me suivait partout, se rappela soudainement Roxane. Pas moyen de te semer dans les longs couloirs ou même dans les coulisses du palais, tu étais toujours là!

—C'est bien lui! Il faisait la même chose avec moi, même jusque dans le jardin intérieur de notre montagne, renchérit Miriel qui avait grandi à Feygor avec le jeune elfe. Il était presque devenu mon ombre, mais aujourd'hui, il est comme un petit frère pour moi!

---

[18] déférence : considération respectueuse que l'on témoigne à quelqu'un, souvent en raison de son âge ou de sa qualité

—Oui, je peux comprendre qu'il n'y ait pas grand-chose à réaliser dans cette montagne de druides bien protégée par les armées de Vikings et de magiciens des autres villes... Rien à faire, que des mots et des réunions de Conseil inutiles… Cela explique tellement de choses! énonça la magicienne avec un soupçon hautain.

—Quoi?!! riposta Miriel sur un ton désapprobateur.

La remarque au sujet de la prétendue inutilité des druides l'avait blessée au vif.

Marack s'interposa immédiatement pour empêcher son amie d'entamer une discussion ardente avec la magicienne de la grande ville. Celle-ci tourna les talons en soupirant.

—Puisque je n'ai pas le choix, allons-y… dans ce beau grand village! se résigna-t-elle. Mon petit Merfeuille, pourrais-tu m'aider à transporter mon barda? Ce serait une belle façon de m'accueillir et j'apprécierais tellement si tu pouvais me rendre ce service.

—Mais bien sûr! lança aussitôt Arafinway en ramassant le lourd barda de Roxane. Viens, je suis ton guide tout dévoué!

L'elfe l'entraîna par le bras en direction de la forteresse, laissant derrière eux un guerrier et une druidesse plutôt irritée.

Chapitre 3

Roxane

Chacun leur tour, les trois futurs gardiens prirent la peine d'expliquer à leur nouvelle compagne d'armes les différentes règles de leur entrainement. Cependant, Roxane passa la majeure partie de son temps avec Arafinway.

En se promenant dans les rues du quartier marchand de la ville, l'elfe échangeait avec la jeune magicienne.

—Comme tu as pu le constater, il y a plusieurs groupes de futurs gardiens à Hinrik : les guerriers, les druides et les éclaireurs…

—Comme toi! répondit-elle machinalement en dévalisant des yeux une échoppe de tissus soyeux.

—Exact! Chacun se retrouve sous la tutelle d'un maître d'armes possédant une expertise spéciale pendant les entrainements. Nous faisons une rotation afin d'apprendre le plus

de techniques possible par chacun d'eux, décrivit Arafinway.

—Ah! bon! soupira Roxane.

Elle commençait à le trouver franchement ennuyant.

—Il y a aussi la fabuleuse Graduation du Jour du renouveau, s'enthousiasma l'elfe.

—Oui! Oui! Je connais, rappelle-toi que je demeure à Alvikingar et que tout le monde connait cette célébration. La grande graduation des Gardiens du territoire… Impossible de l'oublier tellement il y a d'intérêt pour cette fête symbolique! témoigna la jeune fille sur un air exaspéré devant tant d'importance accordée aux druides.

—C'est vrai, mais ce que tu ne sais peut-être pas, c'est que seulement ceux qui ont réussi toutes les épreuves du gantelet, mieux connu sous le nom du *Jugement de Tyr*, méritent cet honneur. Nous recevons aussi notre superbe arme de gardien à tête de bélier soit le bâton d'office pour les druides, le Salkoïnas, soit le marteau de guerre pour les autres, l'informa l'éclaireur avec un brin de fierté.

—Explique-moi plutôt ce que je dois savoir, ici à Hinrik, au lieu de me raconter ce que je sais déjà! s'impatienta la magicienne. Par exemple, à quoi servent ces bâtiments?

—Je croyais que tu voulais savoir tout ce qui touchait aux Gardiens du territoire, se rembrunit[19] l'elfe.

Ils s'étaient arrêtés sur la place centrale de la forteresse. Contrairement à plusieurs rues aux trottoirs de bois, celle-ci était dallée de briques en granit foncé. Devant eux, le GreätHal[20] était habilement décoré d'entrelacs[21] sculptés qui représentaient les animaux de certains dieux vikings : un corbeau, un loup, un sanglier, une feuille d'érable, des chiens, un écureuil, des aigles…

Soudain, de bruyants bondis[22] portant boucliers et épées en sortirent si brusquement que les jeunes durent s'écarter rapidement de leur passage.

—Attention! s'écria l'elfe en poussant la recrue pour la protéger.

En fait, c'est plutôt elle qui propulsa le jeune sur le côté. Se ravisant pour ne pas trop le froisser, elle poursuivit leur conversation.

—Mais oui, mon cher Arafinway, j'apprécie que tu prennes le temps de tout m'expliquer, se reprit-elle, mais je suis une magicienne et mon statut particulier à la grande Capitale m'a déjà permis de connaitre tous ces détails. Je te remercie pour toute cette information, mais…

---

[19] rembrunir : assombrir, attrister
[20] GreätHal ou Grand Hall : grande salle de rassemblement dans un fief viking
[21] entrelac : ornement composé de motifs où les lignes s'entrelacent
[22] bondi : homme libre

—Tu as raison, tu connais tellement de choses, et moi je radote! s'excusa sincèrement l'elfe. Alors, ici à Hinrik, il y a six séances d'entrainement sur dix jours. Elles sont suivies de deux jours de repos et de deux autres alloués à différentes tâches communautaires dans la ville.

—Hein? Des travaux… physiques? se renseigna Roxane en n'en croyant pas ses oreilles.

—Marack, lui, n'arrête presque jamais. Lorsqu'il n'a pas d'entrainements supplémentaires avec les autres maîtres d'armes, son père, le Jarl d'Hinrik, l'embauche pour diverses tâches rattachées à son rang. Il l'amène presque partout. Il assiste même à des *Things*[23] importants dans ce GreätHal!

—C'est le fils du Jarl de la ville, comme c'est intéressant… commenta la magicienne.

—Oh! Mais maître Marack père n'est pas seulement le Jarl de la ville, il est également un Gardien du Secret. Il fait d'ailleurs partie des premiers Gardiens du territoire. Mais ça, tu devais déjà le savoir?

—Bien sûr! Tout le monde connait les six Premiers Gardiens : le Grand Druide Arminas, Saint-Beren le Grand Prêtre de Tyr et fabuleux mage, Grim McGray le Jarl d'Alvikingar, Marack le Jarl d'Hinrik et…

---

[23] Thing : assemblée générale regroupant des seigneurs et des hommes libres pour aborder et régler différents sujets

euh… Continue donc, mon cher Merfeuille, que fait Miriel comme travail?

—Et… Lars le scalde[24] le Jarl d'Yngvar et enfin Lassik, le Géant des montagnes, compléta l'elfe avec un sourire. Pour sa part, Miriel s'occupe des animaux.

—Je comprends maintenant, cela explique l'odeur qu'elle dégage! Paysanne un jour, paysanne pour toujours! susurra Roxane.

—Non, pas du tout! Miriel est une druidesse et la fille de notre chef spirituel, le Grand Druide Arminas! répondit Arafinway avec fierté.

—Elle? La fille d'Arminas? Mais que fait-elle avec les bêtes? s'insurgea la magicienne. Elle devrait plutôt être à sa place aux côtés de son père et voir aux affaires de la colonie!

—Tu crois? Je pensais qu'elle faisait ce qu'elle devait faire et surtout, ce qu'elle aime faire. Il y a toujours quelques troupeaux à soigner à l'intérieur de la ville ou dans les fermes aux abords de la forteresse. Comme membre de la profession druidique, elle connait un tas de plantes médicinales et a des affinités avec la plupart des animaux. Elle est même capable de les calmer! Je pense donc qu'elle se rend plutôt utile.

---

[24] scalde : skald, érudit viking, poète, celui qui sait écrire, qui possède la connaissance des anciens

—Tu as raison, c'est sans doute la meilleure place pour elle! rétorqua Roxane avec un sourire narquois. Et toi, que fais-tu à Hinrik?

—J'utilise le meilleur talent que m'a légué mon père : je confectionne des flèches et des arcs pour le dépôt des archers. D'ailleurs, plusieurs Gardiens du territoire viennent se ravitailler à Hinrik. Que ce soit pour des vivres, des armes, de bons souvenirs…

Ils passèrent devant la résidence du seul géant des montagnes de la ville. Elle était facilement repérable, car sa devanture était deux fois plus grande que toutes les autres.

—Les voyageurs viennent aussi à Hinrik pour acquérir différentes potions ou mixtures de Lassik, expliqua-t-il à son amie en pointant la maison. Il est en quelque sorte l'alchimiste de la ville et ses potions magiques sont parfois très convoitées!

Cette remarque attisa l'intérêt de la magicienne, mais elle ne le laissa pas voir.

—Je ne comprends toujours pas pourquoi vous devez effectuer ces travaux minables… dit-elle avec dédain. Vous êtes tout de même les futurs gardiens! Tous les habitants des territoires de l'Ouest vous devront respect d'ici quelques années.

—On m'a dit que c'était notre façon de remercier les habitants de la ville qui soutiennent notre formation. Nous devons tous faire une forme ou l'autre de sacrifice pour le meilleur de la communauté. Moi, j'aime bien ce que je fais, et c'est la même chose pour Marack ou Miriel.

« C'est une façon de voir les choses lorsqu'on vit avec le petit monde, j'imagine… », songea Roxane.

—Tu devras aussi te choisir une contribution à apporter durant ces deux jours, l'encouragea l'éclaireur.

—Je vais prendre le temps d'y réfléchir! Peut-être que mon assistance serait requise à la faction de mages résidents à Hinrik, qui sait! le rassura-t-elle sur un ton prétentieux.

« Après tout, je suis la fille d'un maître mage artilleur! Les mages de ce fortin[25] devraient m'offrir de prendre le commandement de leur effectif. Je vais attendre encore une semaine pour leur laisser le temps de venir me rencontrer », décida-t-elle.

Quelques jours passèrent et chacun s'acquitta de sa tâche envers la recrue. Ils visitèrent les différents quartiers et chacun avait été identifié, arpenté et commenté. D'ailleurs, la *Taverne de la Bouteille Cassée* était le repère des fourbes et mécréants, donc un des nombreux endroits à

---

[25] fortin : petite forteresse

éviter, tandis que l'*Auberge du Troubadour Volant*, était chaudement recommandée.

Cependant, malgré le temps passé en compagnie de la magicienne, Miriel n'arrivait toujours pas à se faire à l'idée que Roxane Cenak ait été imposée à son groupe de compagnons. Quelle misère!

Les quatre s'étaient donné rendez-vous à leur auberge préférée pour le repas du soir. Il ne manquait que Roxane, et la druidesse décida d'aborder ce sujet délicat avec ses deux amis.

—Dis-moi, Marack, mon ours bourru, comment fais-tu? Ou plutôt, comment faites-vous tous les deux pour endurer cette magicienne de la grande ville, hautaine et capricieuse? demanda-t-elle en allant droit au but, comme à son habitude.

—Ah ça, c'est marrant! Roxane s'est renseignée également à ton sujet, s'empressa de répondre Arafinway.

—Ara, je ne crois pas que Miriel avait envie d'entendre cette bribe d'information, grogna le guerrier.

Miriel plissa les yeux en dévisageant ses deux compagnons.

L'éclaireur reconnut ce regard, celui qui annonçait un orage à l'horizon pour son ami et lui.

—Je suis bien curieuse de savoir ce que vous lui avez répondu, somma la druidesse.

—Mais non, ne t'en fais pas, nous lui avons tout expliqué, clarifia rapidement Arafinway. Je lui ai dit que tu étais la fille du Grand Druide, le chef spirituel de Lönnar, et elle a tout de suite compris que tu n'étais pas qu'une simple paysanne comme elle le pensait.

—Une simple paysanne? s'étonna Miriel.

—Oui, oui, par ta façon de faire les choses, de t'occuper des animaux, de ne pas appuyer ton père dans la gouvernance de toute notre communauté… Elle était surprise que ton rang dans la société ne t'amène pas à occuper des postes plus importants. Mais rassure-toi, je lui ai dit que tu aimais bien te salir les mains et t'enfoncer dans la boue pour aider ou sauver des créatures, conclut-il avec son sourire désarmant.

Marack fils cacha son visage dans ses deux mains. Du bout des doigts, il massa ses tempes en prévision du terrible mal de tête qui venait. Décidément, Ara avait le don de s'attirer les foudres de leur cheffe!

Soudain, la porte de l'auberge s'ouvrit et Roxane fit une entrée flamboyante avec sa longue cape violette et son arme particulière.

—Mes amis, me voici! s'écria Roxane de l'autre bout de la pièce.

Marack fils se figea. Aussitôt, toutes les têtes se retournèrent au passage de la jolie jeune fille.

—Ooooh! Vous m'avez attendue pour manger, comme c'est mignon! remarqua la magicienne en s'approchant.

« Ils me prennent déjà pour leur cheffe! », songea-t-elle en s'assoyant bruyamment à la table.

—Oui, oui! Nous t'attendions et Miriel se questionnait justement sur… Aïe! s'écria l'éclaireur.

—Sur ce qu'elle allait manger! s'ingéra Marack qui venait tout juste de donner un coup de pied sur le tibia de son ami, un peu trop bavard à son gout.

—C'est exactement cela, mon cher guerrier! En tant que cheffe, j'attendais que tous les membres de mon groupe soient présents avant de commander. Une simple formule de politesse! D'ailleurs, c'est toujours ce que la bienséance[26] impose à Alvikingar, si mes souvenirs sont bons? justifia Miriel en gardant son attention sur les réactions involontaires de la magicienne.

Soudain, Marack héla l'aubergiste.

---

[26] bienséance : conduite sociale en accord avec les usages, respect de certaines formes

—Maître Ulaf! s'époumona-t-il. Apportez-nous à manger immédiatement, je vous prie, peu nous importe ce que c'est!

—Alors, ma chère Roxane, comment va ton entrainement au combat? commença la druidesse sur un ton suave en balayant du regard la magicienne et le guerrier. Cela doit être difficile pour une personne de ta caste de devoir faire du travail physique, surtout du combat au corps à corps? N'as-tu pas peur de te briser les os?

—Tu sais, ma chère Miriel, tout peut s'accomplir avec de la magie, répliqua Roxane sur le même ton arrogant. Mais mon père désire que j'apprenne le combat rapproché. Or, mon guerrier Marack est un excellent professeur! Nos cours privés me font le plus grand bien et ses attentions toutes particulières à mon égard font aussi des miracles... Il faudrait bien que je te démontre ce que je suis en mesure d'exécuter maintenant!

—Tout peut s'arranger, tu sais? Une leçon privée de ta cheffe de groupe pourrait te permettre de constater un peu mieux l'ampleur de tout ce que tu dois encore apprendre, insinua Miriel. Cet exercice aurait pour but de t'aider à mieux t'intégrer et surtout à t'améliorer...

—Bien sûr, une telle manœuvre est toujours bénéfique pour les deux parties impliquées! souligna Roxane sur un ton provocateur.

—Quant tu veux, la mage artilleur! la défia la druidesse en relevant le menton.

—Le plus vite sera le mieux, la fermière! rétorqua la magicienne.

Soudain, Marack se leva d'un bond pour accueillir l'aubergiste arrivant avec de nombreux plats sur un large plateau.

—Oh! Oh! Les amis, voici la boustifaille! déclara le guerrier.

—Du méchoui de mouton braisé à feux doux pour les amateurs de viande et les trésors de la terre, soit une salade aux trois brunoises[27], livrée ce matin par la maraichère, et un pichet d'hydromel pour rafraîchir ces jeunes gosiers, décrivit Ulaf en disposant les plats sur la table afin que chacun puisse se servir.

—Merci! Merci! jubila Marack en espérant mettre fin à la discussion venimeuse entre les deux filles.

—Servez-vous, chères demoiselles! invita Arafinway sans trop comprendre pourquoi la tension montait entre elles. Voyez, je connais aussi les bonnes manières!

---

[27] brunoise : légumes coupés en très petits dés, utilisés comme garniture

L'atmosphère était lourde autour de la table et Marack surveillait attentivement ses compagnes qui semblaient vouloir continuer la querelle.

Roxane mordit férocement dans sa miche de pain brun. « Un représentant de la guilde des mages est toujours respecté ou craint. Cela vaut aussi bien pour les apprentis mages comme moi! songea-t-elle en la dévisageant. Quelle druidesse de pacotille! »

Soudain, un jeune Viking arriva en trombe à leur table.

—Marack fils de Marack, ton père te demande, tout de suite! lui lança-t-il avant de repartir au galop.

Les soldats du roi

Les montagnes d'Orgelmir s'étendaient tout au long de la frontière sud des Terres d'Aezur, territoire des Vikings de Lönnar. Immenses et escarpées, elles avaient la fâcheuse réputation d'être infranchissables et d'abriter des créatures insoumises et sanguinaires. Que ce soit à cause des tempêtes de neige soudaines, du frimas intense et des avalanches, des clans de géants des montagnes qui ont refusé de se soumettre à Arakher, roi des Géants de pierre, ou des féroces carnassiers, rien ni personne ne pouvait les traverser sans risque.

Installés entre deux rochers, un groupe de soldats du roi se reposaient à l'abri autour d'un petit feu de camp. Ils avaient perdu presque toute leur garnison dans la dernière attaque de snöris aux crocs acérés. Flairant l'odeur du sang frais, ceux-ci rôdaient encore, cachés dans l'ombre des pics de glace.

—Moi, je dis que c'est une impasse téméraire! Nous avons perdu beaucoup trop de nos troupes pour continuer cette mission idiote. Ces démons aux oreilles pointues et leurs chiens humains ne méritent pas autant de considération! vociféra Urzog, le plus fort et le plus gros des trois Yobs.

La tête chauve et la peau jaunâtre, ses muscles proéminents étaient tendus et gonflés par le dernier combat. Les Yobs étaient un genre d'ogre mesurant parfois plus de huit coudées[28] de haut. Ils dépassaient ainsi d'au moins deux têtes tous les hommes, et de trois tous les elfes. Bien équipé et intelligent, celui-ci pesait facilement 430 kilos.

—Ne parle pas si fort! grommela le second Yob, Toghat, en plissant ses fins yeux rouges. Si notre nouveau chef Worthag t'entendait rouspéter, il serait fou de rage.

—Combien d'entre vous seraient prêts à me suivre pour retourner à Bishnak au lieu de mourir inutilement sur les terres de nos ennemis? vitupéra[29] le Yob Urzog sur un ton menaçant.

Il était maintenant debout et marchait parmi les survivants du bataillon composé à l'origine d'une cinquante de combattants. Peu vêtu, il avait fixé

---

[28] coudée : ordre de grandeur pour mesurer la hauteur, soit un avant-bras d'homme, un pied ou trente centimètres

[29] vitupérer : élever de violentes protestations, synonyme de pester, protester

une peau de loup sur ses larges épaules couvertes de cicatrices pour se protéger du froid mordant.

—Je ne suis pas un espion, mais un guerrier! rugit-il, de mauvaise humeur. Ce qu'on me demande de faire est en dessous de mon rang! Si notre vrai chef était toujours en vie, il n'aurait jamais ordonné de passer par ces satanées montagnes d'Orgelmir. Nous aurions dû suivre l'autre groupe et nous frayer facilement un chemin par la force de nos épées en contournant les monts Krönen! Nous serions déjà en train de taillader les démons et leurs chiens dans leur minable fortin... Arrrg!

—Arrête de grogner, Urzog, j'étais là lorsque les ordres de mission ont été donnés à notre bataillon, déclara une voix familière de Sotteck, derrière un gros rocher.

—Worthag! Je croyais que tu étais parti en reconnaissance! se crispa le Yob.

—Oui, c'est ce que j'ai fait, mais je suis revenu depuis un bon moment déjà. Tu semblais avoir tellement de choses à dire, que j'ai décidé de t'écouter, bien tapi juste là, pointa-t-il en fronçant ses épais sourcils noirs.

Le shaman sottèque contourna le roc afin d'être vu de tous ses subalternes. Mesurant presque six coudées de haut, la peau d'un teint naturel tan foncé, il était vêtu d'une armure disparate, conçue à partir de pièces d'équipement valables ramassées au fil des combats.

Fruits d'un croisement entre un orc et un humain, les Sottecks étaient généralement plus rusés et plus intelligents que les autres créatures. Leur degré d'agressivité dépendait de la génétique dominante et de leur éducation. Même si les Yobs les considéraient comme des êtres inférieurs à cause de leur taille, les Sottecks étaient tout aussi cruels et faisaient partie des troupes d'élite du roi.

Ainsi, Worthag était le second en charge du bataillon. L'ancien chef Yob gisait maintenant au fond d'une crevasse, et la responsabilité de mener à bien cette mission lui incombait désormais.

« Traverser les montagnes d'Orgelmir n'était sans doute pas la plus sage des options, pensa-t-il, mais c'était l'ordre qu'avait reçu le commandant de la garnison à Bishnak. Et puis, il était inutile que je rentre les mains vides si je voulais demeurer en vie. »

Le gros Yob s'approcha du petit shaman et lui imposa sa volumineuse charpente.

—Eh bien, je crois que nous devrions avoir un autre chef! annonça Urzog avec insolence. Suivre les ordres de ce sous-fifre[30] ne me convient absolument pas!

—Mais tu es fou, Urzog, murmura Urlug, le troisième survivant des Yobs. C'est peut-être

---

[30] sous-fifre : subalterne, tout petit employé

un Sotteck, mais c'est aussi un shaman! Il emploie toutes sortes de magie!

—Pleutre[31]! Ce ne sont que de simples artifices pour nous faire croire qu'il a véritablement du pouvoir, vociféra de nouveau le gros Yob. En réalité, il n'était que l'esclave de notre ancien chef. Je pourrais considérer lui redonner sa place de second, si vous acceptez tous de me nommer commandant. Entendu, second? Tu pourras garder ton ancien poste, si tu arrêtes immédiatement de te prendre pour celui qui donne les ordres, proposa-t-il en le narguant.

—C'est une belle offre, mais j'ai promis que j'emploierais tous mes talents pour accomplir la mission qui m'a été confiée. Toi, par contre, tu ne cherches qu'à te battre et tu ne réfléchis pas plus loin que tes affreux muscles! Si nous avions contourné les monts Krönen comme tu l'as suggéré un peu plus tôt, nous serions probablement tous morts à l'heure actuelle.

Le gros encaissa l'insulte en grognant vers lui. Le shaman recula et regarda nerveusement les autres soldats qui commençaient à se révolter.

—Alors, je n'ai pas l'intention de reprendre mon rôle de second, proclama-t-il avec aplomb et véhémence[32]. Si tu veux jouer au chefaillon[33], dit-il en pointant le Yob, je peux te tolérer encore un bout de temps. Cependant, si tu

---

[31] pleutre : peureux, poltron
[32] véhémence : vigueur, énergie
[33] chefaillon : responsable sans envergure, imbu de ses pouvoirs, petit chef

désires être le meneur de nos troupes et prendre ma place, tu devras la mériter ou me l'enlever de force!

Le défi était lancé! Comme personne ne voulait être pris au beau milieu de ce qui s'annonçait comme un duel dont l'enjeu était le pouvoir de les diriger, les autres Yobs et les cinq Sottecks se déplacèrent immédiatement vers les parois rocheuses.

Les quatre Mourskas trapus, poilus et à la peau verte, grimpèrent sur les hauteurs pour avoir le plaisir d'une meilleure vue sur la scène. Ces créatures étaient nombreuses au nord d'Arisan. Hybrides entre un gobelin intelligent ct autre chose de barbare, on pouvait voir leurs aux yeux noirs et leurs crocs briller à la lueur des flammes.

—Rien que ça! lança sarcastiquement le gros Yob. Je vais te découronner et orner ma ceinture de ta tête comme trophée! rugit-il. Tu pourras de cette façon continuer à être mon second et ne plus jamais contester l'un de mes ordres!

En un bond, Urzog resserra ses mains sur sa hache à double tranchant et chargea son adversaire.

—Yaaahhhhhh! fit le Yob en s'élançant avec fougue.

Worthag, un vétéran, l'attendait depuis un moment. Il avait déjà récupéré à sa ceinture l'objet qu'il lui fallait pour invoquer son premier

sort, soit une toute petite amulette en forme de fourche.

Soudain, une rafale balaya le feu, et les tisons s'envolèrent parmi les flocons. Armé de son gourdin clouté, le Sotteck employa toute sa force pour dévier l'énorme hache qui s'abattait rapidement sur lui.

Bunk!

Malheureusement, il ne fut pas en mesure de dévier entièrement l'attaque comme il l'aurait voulu et il recula de plusieurs pas.

—Miummm! Ma hache vient de gouter à ta chair, shaman, et je peux te confirmer qu'elle a adoré! se réjouit le Yob Urzog en léchant la lame ensanglantée.

Effectivement, la taillade dans l'épaule de Worthag était incommodante, mais pas suffisamment pour le faire capituler.

Il remarqua par contre avec satisfaction trois petites coulisses rouge clair sur l'un des avant-bras de son adversaire. Le genre de surprises laissées par les fourchons[34] de sa petite amulette.

—Tu n'es pas de taille, shaman! Abandonne pendant qu'il en est encore temps! proféra le Yob en levant les bras dans les airs pour se faire encourager par la foule.

—Je suis loin d'être vaincu! répliqua Worthag. Une simple estafilade et tu te crois déjà

---

[34] fourchon : dent d'une fourche, d'une fourchette

vainqueur, je dirais plutôt que mon emprise sur toi ne fait que commencer. Tu es vraiment pitoyable!

Enragé par les moqueries, Urzog reprit son offensive ravageuse en balançant sa hache avec encore plus de force. La neige durcie rendait le terrain inégal et glissant, mais cela ne l'empêchait pas d'être terriblement menaçant.

Bunk! Bunk! Swoop!

Le Yob enchaina les coups et le shaman s'affaira de toutes ses forces à les bloquer ou à les esquiver. Son plan fonctionnait à merveille. Tant pis pour la grosse brute, la magie shamanique faisait son œuvre… Tranquillement, le corps du belliqueux devenait de plus en plus lourd et une faiblesse générale l'envahit peu à peu.

—Déjà fatigué? On vient à peine de commencer! le défia le shaman en tournant autour de lui. Allez, un peu de nerf! Démontre à tous comment tu peux écraser un simple Sotteck comme moi!

Urzog avait de plus en plus de difficulté à tenir sa grande hache à deux mains. Seul un de ses bras semblait vouloir répondre à ses ordres, tandis que sa respiration devenait difficile.

—Allez! Allez! Tu manques certainement d'entraînement! Toi qui voulais percer les défenses de nos ennemis par la force, te voilà presque à genou devant moi! souligna son adversaire en hurlant pour couvrir le vent.

—Je vais! Je vais... en finir avec toi une fois pour toutes! vitupéra de désespoir le soldat à bout de souffle.

Worthag avait profité de la seconde de récupération que son ennemi venait de prendre pour déployer un second sortilège.

Soudain, l'audacieux Yob s'élança de nouveau, la hache tremblante levée et prête à s'abattre sur son adversaire.

Prestement, le shaman ouvrit la main et lui souffla au visage tout son contenu. Le sombre nuage de poussière maléfique fut immédiatement gonflé par une bourrasque et tourbillonna autour de la tête de son assaillant.

—Aaaaaah! Mes yeux! Je ne vois plus rien! s'écria de rage Urzog en lâchant son arme dangereuse.

En un mouvement vif, le Sotteck bondit sur lui par-derrière avec sa massue cloutée.

Crack!

Le Yob s'étendit de tout son long sur le sol. Le shaman avait profité de la confusion occasionnée par son sort d'aveuglement pour contourner son adversaire et lui asséner un violent coup sur la nuque. L'autre tomba, raide mort.

—Quelqu'un d'autre veut-il faire prévaloir son point de vue? Personne ne veut contester ma chefferie? se renseigna triomphalement le shaman.

—Il a eu raison de notre meilleur guerrier… en employant juste un peu de magie! murmurèrent les deux derniers Yobs.

Les Mourkas descendirent de leur perchoir tandis que les autres retournèrent à leurs bardas la tête basse. Ce shaman avait réussi à leur démontrer sa force au combat ainsi que sa magie. Il était le plus puissant d'entre eux ou, du moins, le plus imprévisible opportuniste.

Worthag se retira à l'écart, mais pas trop loin. Il ne voulait quand même pas devenir le prochain repas des carnassiers de cette montagne! Il se recueillit pour réciter une petite prière à son dieu Zaoma afin qu'il lui vienne en aide pour cicatriser sa blessure. Il appliqua ensuite une pommade régénératrice sur son estafilade qui brulait comme du feu.

La nuit s'éclaircissait déjà lorsqu'il revint auprès du groupe.

—Nous entreprenons immédiatement la descente dc ccs escarpements de fous pour nous diriger vers les démons et leurs chiens qui habitent l'Ouest, déclara-t-il d'une voix forte.

« Il est hors de question que je revienne à Bishnak sans trophée, songea le shaman. J'aurais tout de même apprécié le mordant du gros Yob au combat pour la suite de ma mission. D'un autre côté, nous étions treize, un très mauvais nombre qui aurait pu déplaire à Zaoma. Douze, c'est beaucoup mieux! »

—Nous allons nous occuper de notre Yob! insistèrent Urlug et Toghat.

—Ne tardez pas, car nous avons quelques jours encore à esquiver les résidents et les trappes de ces montagnes avant d'atteindre la forêt tout en bas, précisa Worthag.

Le shaman, suivi du reste de son groupe, amorça la descente en laissant derrière les deux Yobs.

Ceux-ci attendirent un peu et ne prirent que quelques instants pour dépouiller de ses avoirs celui qui avait déjà eu leur admiration. Pas de cérémonie pour le faible, pas de sépulture, rien qu'une carcasse ensanglantée que les snöris allaient bientôt se répartir rageusement.

Tous avaient retenu la leçon : personne ne s'opposerait plus aux directives du shaman, leur chef.

Magie versus Magie

En fin de soirée, le jeune Marack marchait d'un pas pressé et avec appréhension vers les quartiers des futurs gardiens. Son père lui avait demandé plusieurs petites besognes reliées à son statut de fils de Jarl et il les avait exécutées en vitesse. Après tout, le repas du soir avait été diablement irritant entre ses deux compagnes d'armes et il était inquiet pour la suite des choses.

Il avait la charge de protéger Miriel, voire contre elle-même s'il le fallait.

Il traversa les venelles[35] étroites et fit un détour par les baraquements de la druidesse et de Roxane… juste pour s'assurer que tout allait bien. Surprise! Personne n'avait revu les jeunes filles depuis assez longtemps.

---

[35] venelle : ruelle

En grommelant, il partit prestement au pas de course vers le dortoir des garçons.

—Ara! Arafinway! Est-ce que tu as vu les filles? demanda-t-il en bousculant l'éclaireur au passage.

—Moi, voir les filles? Nooooon... je ne sais rien! répondit-il d'une curieuse de façon.

—Je t'ai demandé si tu les avais vues et non si tu savais quelque chose, rétorqua Marack fils.

—Alors je ne les ai pas vues! répondit promptement Arafinway en regardant ailleurs pour éviter le regard du grand guerrier.

—Toi, tu me caches quelque chose! insista son ami.

—Moi? Pas du tout! se défendit l'elfe sur un ton évasif.

—Maintenant, je sais que tu me caches la vérité. Allez, que s'est-il passé? Où sont les filles?

Arafinway n'aimait pas les cachotteries et encore moins les querelles. D'une nature agréable, éduqué par des parents aimants et attentionnés, il cherchait toujours à faire plaisir et à se rendre utile. Pour lui, la vérité était une mine de richesse, et l'atmosphère tendue dans laquelle il était involontairement plongé le mettait franchement mal à l'aise.

De plus, il s'était habitué à voir Miriel s'en prendre vertement à son guerrier. Elle veillait sur son groupe et se fâchait souvent contre Marack

fils, comme si c'était une obligation de cheffe. Cela devenait presque un jeu entre les deux et les choses finissaient toujours par s'arranger. Tous les trois se connaissaient depuis leur enfance et leurs relations fraternelles étaient bien au-dessus des accrochages.

Mais avec Roxane, le badinage n'était pas le même du tout. Enfin, il inspira un bon coup et libéra toute la pression.

—Et bien voilà! Lorsque tu as quitté l'auberge, elles ont argumenté sur plusieurs sujets, expliqua-t-il. En fait, elles ne sont pas d'accord sur grand-chose… La situation a empiré lorsqu'elles ont abordé la magie. Tu sais, du genre faire la différence entre les magiciens qui tirent leur pouvoir des formules et des objets enchantés et les druides qui obtiennent leur puissance des dons accordés par leurs dieux…

—Et…? Je t'écoute, que s'est-il passé? s'inquiéta Marack.

—Elles se sont relancées pendant une bonne heure avant de s'arrêter. Je n'avais pas compris tout de suite pourquoi… bredouilla l'elfe.

Devant le regard noir de son guerrier, le pauvre s'empressa d'éclaircir la situation.

—Je n'ai rien à voir là-dedans, je te le jure! Elles ont juste décidé de prouver chacune leur point de vue.

—Com… Comment? s'impatienta Marack en redoutant la réponse de son ami. Pas par un Holmgang[36], j'espère… Ce duel viking est fait exprès pour régler des différends, jusqu'à la première blessure ou jusqu'à la mort!

—Non, non, ne t'inquiète pas… juste par un duel de magie! déclara l'elfe avec un sourire.

—Quoi? Tu les as laissées sortir la nuit, hors des remparts d'Hinrik! explosa Marack en se dirigeant vers la sortie de la ville.

—Mais non! Je les en ai dissuadées! Je ne suis pas stupide, tout de même! Sortir en pleine nuit pour aller faire un combat magique en pleine forêt! N'y pense même pas! Les gardes dans les miradors des remparts auraient vite fait de voir les manifestations magiques que ces deux-là auraient pu déclencher…

—Ouf! Tu me rassures, pour un instant j'ai cru qu'elles allaient commettre une bêtise. Par chance, tu les en as empêchées. Bien joué, mon cher Ara. Mais cela ne m'explique pas où elles se trouvent à cette heure tardive...

—Bof… bredouilla l'elfe, penaud.

—Ara, où sont-elles allées? vociféra son ami.

—Tu sais comment elles sont… surtout Miriel, et je dois avouer que Roxane apprend très vite aussi. Elles m'ont soutiré les meilleures

---

[36] Holmgang : duel viking fait exprès pour régler des différends, jusqu'à la première blessure ou jusqu'à la mort

cachettes de la ville… Je croyais que c'était un jeu! Mais non, en un éclair, elles sont parties exécuter leur duel dans les hangars de marchandises. Tu sais, ceux que nous avons visités cette semaine, à l'autre bout de la ville, près du quartier mal famé[37]…

—Non… Tu les as envoyées toutes seules là-bas? articula péniblement Marack, sidéré par la réponse de son ami.

—C'est sorti tout seul! Je te le jure! Elles se sont mises à deux et elles m'ont truqué… J'ai craqué et j'ai donné la seule bonne réponse… Selon moi, les entrepôts sont vraiment les meilleurs endroits pour se cacher!

—Viens avec moi, tout de suite! ordonna Marack en l'entrainant rapidement. Si diable il leur arrivait malheur…

—Oh zut! C'est le quartier des bandits… J'espère qu'elles ont pu se cacher à temps! dit Arafinway, inquiet à son tour. Et puis, il ne s'agit que d'une petite mise au point de rien du tout, n'est-ce pas?

—Une petite explication? Entre ces deux filles-là? Ara, c'est une **confrontation** magique! UN DUEL! Un règlement de compte pour savoir laquelle possède la magie la plus puissante! corrigea le guerrier en courant.

---

[37] mal famé : inquiétant, dangereux, qui a mauvaise réputation, louche, suspect

—Tu crois vraiment qu'elles vont le faire? interrogea l'elfe, abasourdi.

—Ooooooh que oui, j'en suis certain! Et avec la magie, tu le sais, tout peut arriver. Alors, arrête de poser des questions et cours!

Les filles avaient finalement choisi le dernier hangar du quartier, celui qui était le moins rempli de victuailles et le plus près des murailles de bois. Après avoir pris soin de calfeutrer de couvertures les quelques fenêtres de l'entrepôt, Miriel et Roxane prirent position. Sur le sol de dalles de pierre grise, elles avaient balayé le foin sec qui enlevait l'humidité et tracé un grand cercle.

—Nous sommes à quarante foulées l'une de l'autre et nous avons chacune notre arme préférée, déclara la magicienne. Toi, un Salkoïnas emprunté et moi, mon Rox, mon merveilleux bâton d'artilleur personnel.

—Ton Rox? répéta Miriel, surprise. Bon, alors nous sommes bien d'accord : la première qui fait reculer l'autre en dehors du cercle est la plus forte des deux, spécifia-t-elle.

—Cela démontrera également laquelle des deux magies est supérieure, ajouta Roxane.

La druidesse était plus ou moins à l'aise avec le dernier énoncé de la magicienne. Roxane, percevant que son adversaire semblait hésiter, haussa les enchères du combat.

—Il est clair que la gagnante sera la cheffe du groupe et que la perdante deviendra sa subordonnée, ajouta-t-elle malicieusement.

Cette nouvelle pique termina de provoquer Miriel.

—Arrête de te vanter et montre-moi ce que tu sais faire! Nous allons bien voir si tu n'es qu'une vulgaire hâbleuse[38] de la grande ville! se défendit avec vigueur la jeune elfe.

—Moi? Une menteuse? Attends de voir ma puissance, espèce de fillette aux oreilles pointues!

Roxane s'empressa de récupérer dans son sac de voyageurs une pierre grise, pas plus grande qu'une prune, sur laquelle des runes étaient gravées. Les lettres dorées s'illuminèrent lorsqu'elle la déposa dans la partie la plus large de la tête de son bâton d'artilleur. La gorge du dragon se mit à pulser magiquement d'une lueur jaune et verte. L'arme était maintenant chargée.

Pendant ce temps, Miriel aurait bien voulu invoquer le *Bélier de force*[39] qui se trouvait dans son fabuleux bâton d'office des druides.

---

[38] hâbleuse : personne qui a l'habitude de parler beaucoup en exagérant, en promettant, en se vantant

[39] Bélier de force ou Force du bélier : projection d'une boule de force ayant la forme d'une tête de bélier

Malheureusement, comme il ne lui appartenait pas et n'était donc pas harmonisé avec elle, sa pleine puissance ne lui était pas accessible.

Elle opta plutôt pour une diversion et un déplacement en direction de son adversaire. Si cette magicienne avait de la difficulté au combat rapproché, un éventuel corps à corps pourrait être avantageux. Il fallait garder en tête toutes les options, comme son ami Marack le lui avait si bien appris.

Elle récita une petite prière à Lönnar, son dieu de la nature et de la justice, afin de préparer son premier coup.

Elle invoqua l'élément de l'eau. Presque instantanément, la première magie de Miriel se matérialisa en une grosse bulle suspendue dans les airs. Elle grossit à vue d'œil en miroitant comme un lac au soleil et Roxane la regardait bouche bée. Lorsqu'elle atteignit la taille d'un seau d'eau, la druidesse la fit éclater en une douche glacée... directement au-dessus de la prétentieuse magicienne! Au même moment, Roxane propulsa la pierre runique en direction de son assaillante.

—Aaaah! Mes vêtements! Mes cheveux! Tu as osé me faire ça! s'insurgea Roxane en récupérant une seconde munition magique. Espèce de misérable paysanne! Tu vas me le payer très cher...

—Hé! hé! Tu ne t'attendais certainement pas à ça! s'exclama la druidesse qui esquiva juste à temps le projectile.

La pierre runique se logea à quelques foulées derrière elle.

Fsshh! Boum! Broummm!

Miriel ressentit la vibration que causa le boulet en s'enfonçant dans la dalle de pierre.

—Mais tu es folle! Tu aurais pu me terrasser[40] en un seul coup! s'énerva Miriel en regardant le cratère de trois foulées de diamètre dans le sol.

Roxane dégagea une mèche de cheveux mouillée de son visage, plissa les yeux et s'empressa de puiser au hasard dans son sac. Elle plaça un second missile dans son bâton et fit quelques pas pour accentuer la vitesse de projection de sa pierre balistique. Cette fois, il s'agissait d'une gemme rouge au lieu d'une pierre grise. Elle s'illumina largement dans la gorge du dragon et projeta des reflets orangés et mauves, tels ceux d'une flammèche.

—Ah non! Si tu penses que tu vas m'atteindre avec ça, rétorqua la druidesse en relevant le menton.

Miriel fit une prière et invoqua l'élément de l'air à sa défense.

Fsshh! Balaboum, Baloum, Baloum!

---

[40] terrasser : abattre, rendre incapable de réagir, de résister; anéantir

La gemme arriva à grande vitesse et allait toucher sa cible, mais au dernier moment, une petite bourrasque s'empara du projectile et la fit virevolter dans les airs. Elle rebondit légèrement sur les nombreux caissons de marchandises entreposés sur les côtés du hangar.

—Ha! ha! Manqué! s'écria Miriel avec fierté.

Soudain, la toute petite gemme explosa.

Boooooooummm!

La détonation fut si intense qu'elle fit trembler le sol sous les bottes des jeunes filles et éclater les boites de bois à proximité. L'ampleur de la déflagration les surprit toutes les deux et elles reculèrent de quelques pas. Elles se regardèrent sans trop comprendre.

En quelques instants, un feu magique aux reflets mordorés et mauves se répandit à tout ce qui pouvait se trouver à l'intérieur d'un rayon d'une dizaine de foulées du point d'impact. Caissons, provisions, matériaux divers pour la ville ainsi que le mur de l'entrepôt à cet endroit précis. Le feu semblait avoir une âme et calcinait avec entrain tout ce qui était à sa portée.

—Cèdes-tu, maintenant? Tu es battue! conclut la magicienne en voyant son adversaire surement impressionnée par la puissante force magique qu'elle venait de démontrer.

—Capituler? Mais de quoi parles-tu? Tu as mis le feu au hangar! s'exclama Miriel en colère.

La druidesse n'en revenait pas de voir Roxane jubiler devant l'étalage de ses pouvoirs maléfiques.

L'épaisse fumée noire envahissait rapidement l'endroit et les flammes commençaient à lécher le sol près des filles. Les vêtements détrempés de la magicienne artilleur la protégeaient en partie contre la chaleur qui allait vite devenir suffocante. D'ailleurs, ils dégageaient déjà un peu de vapeur. Ainsi, la jeune fille demeurait plantée au milieu du cercle tandis que Miriel se démenait à trouver une solution pour arrêter l'incendie… et vite!

Le volume des flammes prenait de l'ampleur sous leurs yeux. L'entrepôt allait surement y passer et peut-être même une partie de la ville.

—Te désistes-tu, druidesse de pacotille? tenta de confirmer Roxane en savourant déjà sa victoire et son titre de cheffe du groupe.

—Noooon! Et viiiiiiite! Il faut éteindre le feu le plus rapidement possible! s'énerva Miriel. Utilise ta superbe magie, fais quelque chose!

Voyant que l'autre ne réagissait pas, la druidesse invoqua quelques-uns des rituels druidiques qu'elle connaissait. Elle pouvait se servir des quatre éléments de la nature et cherchait désespérément celui qui allait lui être le plus utile.

—De l'eau de pluie! demanda-t-elle. Beaucoup, un orage!

Malheureusement, la chaleur étouffante faisait évaporer les gouttelettes à peine créées. Elle essaya de multiples bulles d'eau, mais ce n'était toujours pas assez et en produire davantage lui demandait trop d'efforts. De plus, comme sa magie était encore élémentaire, cela lui prenait du temps entre chaque sortilège.

« Du vent? pensa-t-elle. Non, cela ne ferait qu'attiser les flammes. Des métaux? Je ne les connais pas assez… Du feu? On n'y pense même pas… Il reste la terre… Du sable! »

Elle se concentra et en quelques minutes, toutes les particules de poussière du sol s'agglutinèrent en suivant les mouvements de ses mains. Elle tenta de créer un mince filet de sable pour contenir ce feu dévastateur.

Soudain, des coups frappés au portail la déconcentrèrent et le sortilège disparut. La porte s'ouvrit brusquement.

Boum! Boum! Crack!

La grande silhouette de Marack fils apparut dans l'encadrement. Il évalua rapidement la situation et courut à toute vitesse vers le corps de Roxane, qui venait de s'effondrer sous la fumée.

—Mais vous êtes complètement folles toutes les deux! hurla-t-il en toussotant. Il faut sortir d'ici, il y a le feu presque partout!

—Il faut l'éteindre avant qu'il ne se propage aux autres hangars! ordonna Miriel en commençant une nouvelle invocation.

—Il n'en est pas question! rugit le guerrier en chargeant la magicienne sur son épaule comme une vulgaire poche de légumes.

D'un geste précis, il se tourna vers la druidesse et la prit de la même manière sur son autre épaule.

Miriel, en colère, se débattit à coups de poing pour se défaire de cette position, mais la poigne de fer du jeune guerrier la maintint bien en place.

Une fois à l'extérieur, Marack déposa les deux filles aux pieds de son ami elfique. Roxane inspira l'air frais et ouvrit les yeux.

—Maintenant, vous allez vous taire et m'écouter, toutes les deux! vociféra Marack fils d'un ton autoritaire. Vous avez assez fait de ravages pour cette nuit! Vous allez suivre Arafinway immédiatement. Toi, tu les ramènes à leur gite et tu gardes la porte jusqu'à mon retour. Est-ce bien compris?

Devant sa fureur, aucune des deux n'osa rouspéter.

—Je m'occupe du feu en attendant les secours. Je ne veux voir aucun de vous trois dans les alentours. Maintenant, partez! Je dois réparer l'énorme bourde que vous venez de faire.

« Et je vais passer un mauvais quart d'heure pour vous avoir laissé faire! » regretta-t-il intérieurement.

L'incendie ravageait maintenant la toiture et cherchait à gagner en altitude. De plus, il se

rapprochait dangereusement de la hauteur des remparts de la forteresse de bois. Déjà, les habitants arrivaient avec des seaux d'eau, mais demeuraient pantois[41] face à ces hautes flammes enchantées aux mystérieux reflets mordorés et mauves.

—Eh toi, le Viking! Va chercher de l'aide, un druide, n'importe qui sur ton passage! commanda fermement le fils du Jarl en contournant le brasier. Il nous faut une assistance magique si nous voulons contenir et éteindre ce feu. Les autres, venez avec moi, nous allons faire de notre mieux en attendant les mages!

---

[41] pantois : impuissant, immobile

Chapitre 6

L'incendie

Sur les Terres d'Aezur, comme dans la plupart des fiefs vikings, tous les aventuriers, villageois, Kriegers, Gardiens du territoire et futurs gardiens se retrouvent en soirée et s'entassent dans les auberges. À Hinrik, la plus populaire est l'immense *Auberge du Troubadour Volant*.

Elle fut construite pour eux par les Géants des montagnes et adaptée à leur très grande taille. Heureusement, elle fut aussi progressivement subdivisée pour accommoder les hommes et les elfes. En tant qu'ambassadeur de sa race auprès de la communauté de ce territoire, Lassik Patte d'ours s'y sentait comme chez lui. De temps en temps, certains géants de passage dans la région s'y arrêtaient encore pour gouter son fameux tord-boyaux[42].

---

[42] tord-boyaux : alcool artisanal, eau-de-vie

Le Jarl d'Hinrik venait tout juste de terminer une assemblée avec les responsables des caravanes en provenance d'Alvikingar. Il sortit d'une des petites salles fermées de l'auberge, où il était plus facile de discuter à son aise que dans la cacophonie de la salle à manger, culminante en soirée.

« Tous ces débats m'ont donné soif et je crois bien qu'un tord-boyaux de qualité pourrait me ragaillardir un brin! », songea le Jarl en scrutant les gens installés dans la grande salle.

Assis à une table gigantesque, Lassik gesticulait et semblait se parler à lui-même. En fait, il parlait à sa boursette de cuir à l'effigie d'un dragon et cela provoquait l'hilarité[43] générale. Les badauds commençaient à s'agglutiner et à rigoler devant cette parodie des plus comiques. De plus, le géant semblait ne pas être conscient de son public. Voyant cela, Marack père décida qu'il était temps de le rejoindre et de faire cesser ce spectacle. Il fit disperser la petite foule et se jucha sur un haut tabouret aux côtés de son ami.

—Oui, je perçois en partie ce qui se passe! déclara le Géant des montagnes en levant les mains dans les airs en signe de désespoir.

—Mais que fais-tu donc? s'enquit le Jarl en se servant une chope d'hydromel.

—Je suis en pleine controverse avec Ygal, figure-toi donc! répliqua le géant.

---

[43] hilarité : rire

Marack père le regarda curieusement puis comprit ce qui se passait.

—Aahhh! Tu discutes avec lui! En pleine auberge, au beau milieu de la soirée! s'exclama le Jarl.

—Je t'explique! Nous sommes d'accord sur le fait qu'une magie mystérieuse et puissante est à l'œuvre ici, dans ta ville, mais nous ne sommes pas d'accord sur le type de magie ressentie! exposa le géant.

—De la magie inconnue? Ici dans ma ville? sursauta le Jarl avec effroi.

—Mais voyons, pas si fort, on pourrait t'entendre! Parfois, mon cher ami, tu fais tout pour qu'on te remarque, lui signifia le géant en lui donnant une petite tape dans le dos.

—Arrête de jouer au plus fin avec moi, grogna Marack père. Tu es un Gardien du Secret tout comme moi. Que tu parles à tu sais qui est une chose, mais que de la magie dont tu ne connais pas l'essence se manifeste dans la ville d'Hinrik, avoue que cela a de quoi me faire réagir! se contint le vétéran.

Soudain, un jeune Viking entra précipitamment dans la salle commune de l'auberge en criant.

—Au feu! Au feu! Il y a le feu de l'autre côté de la ville! hurla-t-il à qui voulait bien l'entendre.

Dans une forteresse où les remparts sont construits d'énormes rondins de bois, le feu est

un élément à ne pas prendre à la légère. En un instant, la majorité des clients évacuèrent l'auberge pour constater, au loin, la lueur de l'incendie. Lassik et Marack père se précipitèrent également vers l'extérieur.

—Par Tyr! Ce n'est pas une plaisanterie! On dirait que c'est dans le quartier des hangars! s'écria le Jarl.

—En effet, le jeune n'a pas dit une galéjade[44]. De plus, même si le feu est encore là, je te confirme que la mystérieuse magie semble disparaitre! l'informa le géant. Nous ne la ressentons presque plus.

—Vas-y vite au pas de course! ordonna son ami. Il faut éteindre ce feu avant qu'il n'atteigne d'autres bâtiments ou un rempart!

—Cela ne devrait me prendre qu'une vingtaine de minutes! C'est bien utile d'avoir de grandes jambes, fit remarquer le géant à son petit compagnon.

—Arrête de te targuer[45] et pars! Si tu rencontres un druide ou deux sur ton chemin, utilise aussi tes grands bras pour les prendre sur tes épaules. De cette façon, tous ces efforts physiques justifieront ton grand appétit! Maintenant, ne perds plus de temps, cours!

---

[44] galéjade : histoire inventée ou exagérée, plaisanterie généralement destinée à tromper
[45] targuer : se prévaloir avec ostentation, se vanter; se flatter

Lorsque Marack père arriva en retard et enfin sur le lieu de l'incendie, plusieurs villageois s'affairaient à combattre le feu. Il aperçut le géant bien planté au milieu des flammes.

—Écartez-vous! hurla-t-il en faisant tomber un des murs enflammés vers l'intérieur du hangar.

« Il est fou, il va bruler vif! », songea le Jarl en allant intervenir, mais une main le retint juste à temps.

—Père, il s'est protégé contre le feu en prenant l'une de ses nombreuses potions, expliqua Marack fils.

Le Jarl se retourna pour découvrir son jeune couvert de suie et brulé sur les avant-bras, là où il n'avait pas de brassards[46] de cuir.

—Est-ce que ça va? demanda le père inquiet. Je constate que tu en aurais eu besoin toi aussi!

—Ça va et Lassik vient de s'assurer que le feu ne se propagera pas. Il est arrivé avec la druidesse Ulrika sur son épaule. Elle n'était pas très contente à son arrivée, mais elle a vite fait d'employer sa magie druidique.

En effet, elle avait rapidement invoqué l'élément de l'eau puis de la glace pour contenir les flammes. Par la suite, Lassik fit le reste du boulot en faisant tomber les murs calcinés.

---

[46] brassard : pièce d'armure protégeant le bras

—Je crois qu'il voulait surtout employer l'une de ses potions, continua le jeune. Tu le connais mieux que moi, toutes les occasions sont bonnes pour les tester… une mixture n'attend pas l'autre!

Le Jarl sourit et regarda mourir les derniers tisons.

Une fois l'incendie contenu, le Jarl fit venir tous ceux présents afin de leur parler. Le géant se tint derrière lui, noirci, les bras croisés. Il essayait de contenir une toux rauque causée par la fumée.

—Quelqu'un a-t-il une idée de ce qui a pu causer cette catastrophe? demanda le chef de la ville.

Personne ne semblait pouvoir fournir d'explication logique. Les commentaires et arguments fusaient, mais aucun éclaircissement n'était parfaitement valable. Marack fils s'avança enfin.

—J'ai remarqué le feu en premier et j'ai tenté de le contenir en attendant les renforts, attesta le jeune guerrier.

—Comment cela a-t-il débuté? questionna le Jarl, méfiant.

—Je n'étais pas là lorsque les flammes sont apparues. Je ne peux donc pas savoir comment ce feu s'est allumé, certifia Marack fils en ne racontant pas de mensonge, seulement une demi-vérité.

—Heureusement que tu étais dans les parages, jeune gardien à l'entrainement, souligna Lassik entre deux toussotements.

—Oui, c'est une chance pour nous tous, soupçonna le Jarl en le dévisageant. Mais je vais devoir mener mon enquête. Les pertes sont trop importantes.

—S'il te faut absolument un coupable, alors prends-moi, chuchota le jeune guerrier en s'approchant de son père. De toute façon, c'était sous ma responsabilité… celle de notre famille.

Marack père regarda son fils avec un brin d'interrogation puis ordonna à tous de rentrer chez eux. Il demanda également à la druidesse Ulrika et quelques autres mages de s'assurer que les braises étaient éteintes pour de bon.

—Va te baigner à la fontaine, tu es couvert de suie. Nous en reparlerons demain matin. Assure-toi d'être en forme et au rendez-vous de Maître Quilla sur la plaine, ordonna le père à son fils.

—Regardez, chef Worthag, il y a quelque chose qui brule au loin, fit remarquer un des Sottecks embusqués.

—En effet, c'est un beau brasier! C'est sans doute la ville de chiens que l'on nomme Hinrik. Nous sommes encore suffisamment en hauteur dans les montagnes pour voir au-dessus de la cime des arbres. Cela nous donne aussi une parfaite idée de l'emplacement de ce fortin, commenta le chef.

—Allons-nous jusqu'au feu pour constater les failles? demanda un des Yobs.

—Non, restons ici, nous sommes suffisamment près. Demain matin, nous reprendrons notre descente jusqu'à la base de ces montagnes maudites. Avec un peu de chance, nous pourrons peut-être observer ce qui fourmille plus bas et je prendrai une décision à ce moment, confirma le shaman en retournant à leur bivouac[47].

---

[47] bivouac : campement temporaire

Chapitre 7

La mission

Le lendemain matin, une colonne de fumée s'élevait toujours au-dessus des remparts de la ville. Malgré l'alarme de la nuit précédente, les maîtres d'armes étaient tous au rendez-vous et l'entrainement des futurs gardiens se poursuivait. Il y avait une trentaine de groupes avec leur instructeur, répartis un peu partout dans les alentours de la ville. Il commençait déjà à faire chaud.

Dans le creux d'une petite vallée d'herbes hautes, Marack, malgré le peu de sommeil et sa grande fatigue, dirigeait l'entrainement de son équipe. Ses brulures avaient été badigonnées d'une pommade druidique, mais il fallait leur laisser le temps de cicatriser.

Il faisait face à Miriel tandis qu'Arafinway tentait de déjouer la magicienne.

—Porte un peu attention à ce que tu fais, Miriel! grogna Marack fils. Lorsque tu effectues un blocage vers le haut, tu dois t'assurer que tes

bras sont suffisamment élevés pour ne pas recevoir le bout de l'arme de ton adversaire en plein visage. Un peu plus de nerfs dans tes bras, sinon c'est un coup sur la tête que tu vas recevoir lorsque je vais t'attaquer.

—Qu'est-ce que tu as dit à ton père? questionna la druidesse en se positionnant de nouveau.

—Premier bloc! En position! gueula son ami guerrier.

Whack! Chtonc! Whack! Chtonc!

—Second bloc! En position! reprit-il.

Swoop! Chtonc!

—Arrête de faire comme si rien ne s'était passé! insista Miriel.

—Pffff! fit Marack dans un soupir. Je n'ai rien dit à mon père à votre sujet et j'espère que vous avez eu votre leçon : un hangar complet de marchandises a passé au feu par votre faute!

—Quoi? Tu crois que c'est de ma faute? C'est elle! C'est cette magicienne de la ville avec ses grands airs et...

—Troisième bloc! En position!

Whack! Whack! Chtonc!

Miriel eut à peine le temps de bloquer les assauts portés par le guerrier de mauvaise humeur.

Il n'y avait pas non plus beaucoup de bavardage entre Arafinway et Roxane. La magicienne préférait garder pour elle-même ce qui s'était passé la veille. Et puis l'éclaireur n'aurait jamais osé lui poser une quelconque question sur le sujet. Il se contenta de la faire s'exercer.

—Enchaînement libre, séquence d'attaque et de blocs! annonça le chef d'entrainement en s'élançant aussitôt sa phrase terminée.

Chtonc! Whack, Klang! Klang Chtonc! Clac!

—Aïe! Tu frappes donc bien fort! s'écria la druidesse en perdant l'équilibre.

—Je n'ai pas envie d'en parler! Si Maître Skeggi nous surprend à faire autre chose que de pratiquer ces enchaînements d'attaques, je suis persuadé que ce grand Krieger roux va nous le faire comprendre d'une autre manière, craignit le jeune guerrier.

—Non, je ne bougerai pas tant que tu ne m'auras pas dit ce qui est arrivé après que tu nous as ordonné de quitter les lieux! décréta la druidesse toujours assise dans l'herbe.

Marack inspira puis déballa tout ce qu'il avait tenté de faire pour contenir les flammes en attendant les renforts de la ville.

—Maintenant, peux-tu te relever, s'il te plaît? Je n'ai rien d'autre à ajouter sinon que, ce matin, je n'ai pas encore rencontré mon père. Il était avec des Gardiens du territoire arrivés tard dans la nuit. J'imagine qu'ils ont commenté le

joli feu de joie qu'ils ont pu apercevoir de très loin, lança Marack avec une pointe de colère.

La druidesse se releva et reprit sa position de combat.

—Tu aurais pu dire la vérité à ton père! murmura Miriel à son ami.

—Tu crois vraiment que d'impliquer la fille du chef spirituel des druides de Lönnar ainsi que celle de l'un des mages artilleurs de renom de la ville d'Alvikingar était une bonne chose à faire? lui fit-il remarquer.

—Heu, peut-être pas finalement... marmonna Miriel en baissant les yeux.

—Eh bien moi, j'ai jugé que c'était plus sage de prendre le blâme pour vous deux! avoua Marack en tentant de contenir sa rogne au sujet de toute cette situation.

—Marack! Voilà ton père en compagnie d'un Viking. Il se dirige vers nous, signala Arafinway.

Il attendit avec impatience l'arrivée du Jarl, car Roxane ne faisait aucun effort, perdue dans ses pensées.

La jeune fille savait très bien qu'elle devait employer tous les moyens pour gagner, ne fusse qu'une partie de bilboquet[48]!

---

[48] bilboquet : petit jouet composé d'un manche à bout pointu sur lequel il faut enfiler une boule percée qui lui est reliée par une cordelette

« C'est la seule façon de faire pour les gens de ma caste, songea-t-elle. La magie est à ma disposition pour être employée en toutes circonstances! »

En y réfléchissant bien, peut-être que la gemme de feu avait été un mauvais choix. Cette pierre précieuse avait été enchantée par son père, un maître mage artilleur très puissant, et elle l'avait prise par inadvertance. Mais elle était magicienne et avouer une erreur de ce genre n'était pas une option.

Elle leva les yeux et aperçut le Jarl.

—Maître Skeggi, regroupez vos pupilles, je dois m'adresser à eux, demanda Marack père en lissant sa longue barbiche.

Le maître d'armes de la journée était spécialisé dans l'art du combat et portait ses longs cheveux roux tressés dans son dos. Il ordonna de former les rangs d'une voix puissante.

Il y avait un peu plus d'une quarantaine de futurs gardiens à l'entrainement dans le groupe et tous obéirent immédiatement.

—Comme vous le savez tous, j'en suis certain, nous avons dû, hier, combattre un feu qui aurait pu mettre en péril la ville d'Hinrik. Par chance, celui-ci a été éteint magiquement grâce à la bienveillance d'une des druidesses de Lönnar, commença le Jarl.

Il fit une pause et scruta les jeunes un à un.

—J'aimerais savoir si l'un d'entre vous aurait d'autres renseignements sur la nature de cet incident, demanda-t-il sérieusement.

Marack fils se questionnait sur les motifs de son père. Est-ce qu'il s'agissait d'un test? Donnait-il une chance à Miriel et à Roxane d'avouer leur erreur? Ou s'attendait-il à ce qu'il prenne le blâme devant tous ses camarades? Le jeune guerrier observa son père et attendit la suite.

Personne n'osait rompre le silence. Arafinway fit presque un pas vers l'avant, mais Marack fils l'en empêcha juste à temps. Les deux filles regardaient vers le bas et aucune des deux ne semblait vouloir parler.

—Personne? Aucun d'entre vous ne sait ce qui s'est passé? revint à la charge le Jarl. Très bien, cet incident demeurera donc un mystère… pour l'instant. Je vous présente Nordahl Rolfson, un de nos fiers guerriers et Gardien du territoire.

—J'ai le mandat de réapprovisionner les différentes réserves d'armes et d'équipements de la région immédiate d'Hinrik, expliqua-t-il d'une voix assurée. Comme vous le savez tous, ces cachettes sont essentielles et font souvent la différence entre la survie et la mort d'un ou de plusieurs de nos frères et sœurs d'armes.

Les jeunes connaissaient bien l'importance de remplir ces caches. Cependant, il n'y avait aucun prestige, seulement des risques, à servir de transporteur de marchandises...

Cette tâche était nécessaire, mais la plupart la considéraient comme une basse besogne, voire une punition. Certainement pas comme un travail digne d'un futur gardien!

—Notre ami m'a fait la demande de lui accorder quelques Gardiens du territoire pour l'accompagner et l'aider à remplir son mandat, spécifia Marack père. Étant donné que cela implique le transport de provisions, je lui ai plutôt proposé d'amener des futurs gardiens pour l'assister dans sa mission.

Si l'histoire du feu avait suscité une étincelle d'attention, la perspective de devoir accomplir la tâche d'un mulet venait d'assombrir l'ensemble de l'assistance.

—Ainsi, continua-t-il, lors des épreuves du dernier *Gantelet de fer*, il y a un groupe dont la performance laissa fort à désirer. Nous sommes persuadés que ces jeunes gens ont besoin d'un entrainement plus intense. C'est la raison pour laquelle le groupe d'Yrsa accompagnera Nordahl.

Une rumeur de soulagement parcourut les autres jeunes. De son côté, Roxane se rappela qu'Arafinway lui avait parlé de cette épreuve, mais elle n'avait aucune idée de ce qu'elle représentait.

—J'ai une question! s'avança Roxane à la grande surprise de tous.

—Normalement, tu dois poser tes questions à tes compagnons ou à ton maître d'armes, reprit le Jarl. Mais étant donné que tu es nouvelle et que tu connais maintenant la marche à suivre pour les futures questions, je t'écoute. Que désires-tu savoir ?

—J'ai déjà entendu parler du *Gantelet de fer*, mais je n'ai aucune idée de ce que cela implique, s'enquit Roxane avec son plus beau sourire désarmant.

—Il est vrai que tu n'as pas encore testé tes habiletés dans cette épreuve. Le *Gantelet de fer* est un test que les futurs gardiens doivent passer régulièrement. Cet exercice permet de s'améliorer dans diverses disciplines. Celui d'Hinrik s'appelle *le Jugement de Tyr*, mais ils sont différents dans chacune de nos six villes fortifiées, répondit le Jarl.

Sur ce, les cinq membres du groupe D'Yrsa se rendirent la mine basse auprès de Nordahl, le valeureux Viking planté à côté du Jarl.

—Ouf! soupira l'éclaireur en direction de son ami. Ma dernière performance lors du gantelet n'a pas été très bonne, j'ai bien cru que nous serions les heureux élus!

—Un second groupe participera à cet exercice, ajouta le Jarl.

Le cœur d'Arafinway s'arrêta brusquement.

—Marack, toi et tes compagnons ferez également partie de cette mission. Ton groupe est volontaire par suite de notre discussion d'hier soir, précisa le Jarl.

—Ah! zut, zut et rezut! marmonna Arafinway.

Roxane allait protester, mais le regard pesant du guerrier lui fit comprendre que ce n'était ni le moment ni l'endroit pour dire quoi que ce soit.

—Marack et Yrsa, vos deux groupes sont de corvée de ravitaillement de cache. Je m'attends à ce que vous respectiez à la lettre les ordres de votre supérieur pour cette mission. Avez-vous quelque chose à ajouter, Gardien du territoire? s'informa Marack père en s'adressant à son complice.

—Demain à l'aube, rassemblez vos effets pour environ une semaine de trajet. Pour vos repas, vous mangerez selon l'expertise de votre éclaireur, précisa Nordahl. À l'armurerie, vous choisirez une arme de base ainsi qu'une armure de cuir souple. N'oubliez pas d'apporter quelques peaux bien chaudes, il fait plutôt froid sur les rives de la rivière Jokulsa, car les vents glaciaux descendent directement des montagnes d'Orgelmir.

—Manger selon l'expertise de notre éclaireur… mais nous allons mourir de faim! s'exclama à voix basse Marack fils en regardant Arafinway qui avait manqué cette parcelle d'information.

—Barda au minimum, ne vous encombrez pas inutilement. Je me charge personnellement de vous attribuer le fardeau que vous méritez, et ce, selon les bons conseils de votre Jarl, sourit Nordahl en acquiesçant d'un léger coup de tête dans la direction de Marack père.

Celui-ci observait avec satisfaction la mine déconfite des membres du groupe de son fils.

—Maître d'armes, vous pouvez poursuivre votre entrainement de la journée et n'oubliez pas de consacrer une heure supplémentaire aux responsabilités qui incombent à un Gardien du territoire. Certaines de ces recrues semblent avoir oublié quelques-unes de nos règles de base, ordonna le Jarl en tournant les talons.

Perché dans un mirador sur le flanc sud de la muraille, Marak père avait rejoint le Géant des montagnes qui scrutait les alentours en solitaire. Au loin, juste avant la lisière de la forêt, ils pouvaient observer les futurs gardiens qui exerçaient encore leur art du combat.

—Veux-tu un peu de mon tord-boyaux? demanda Lassik.

—Il n'est pas un peu tôt dans la journée pour prendre ta mixture qui me fait écarquiller les yeux presque chaque fois? confessa le Jarl accoudé au parapet.

—Hum? Mais cela doit bien faire au moins trois bonnes heures qu'il fait jour! Non, il n'est pas trop tôt, répliqua le géant en avalant une lampée de sa mixture alcoolisée.

—As-tu ressenti de nouveau la mystérieuse magie perçue hier soir? s'enquit son ami.

—Non, nous n'avons rien flairé depuis! répondit Lassik en plaçant sa main sur la petite boursette de cuir mauve fixée à sa ceinture.

—Tant mieux, cela veut dire qu'ils ont calmé leurs esprits, pour l'instant, avisa le Jarl.

—Est-ce que tu as pris connaissance des rapports de patrouille en provenance de la tour de Vanirias? questionna Lassik.

—Oui, je l'ai fait ce matin très tôt. Nordahl me les a remis dès son arrivée hier soir.

—Et ça dit quoi au juste? chercha à savoir le géant.

—Que nos ennemis deviennent de plus en plus audacieux. Que nous devrons expédier des troupes de plus en plus loin à l'est dans la forêt des Bois Noirs si nous voulons mieux protéger nos terres. Plusieurs petits groupes d'éclaireurs ont tenté d'ouvrir une brèche en contournant les monts Krönen par le nord.

—J'imagine que les Gardiens du territoire positionnés précisément entre la pointe de ces montagnes et la tour de Vanirias les ont interceptés aisément, proclama Lassik.

—Oui, mais le nombre de patrouilles ennemies dans cette partie de la forêt inquiète Arminas. En tant que Grand Druide, il a une idée générale de tout ce qui se déroule sur les Terres d'Aezur.

—Heureusement, les monts Krönen offrent une excellente barrière naturelle contre les envahisseurs. Et puis s'ajoutent à cela les quatre ou cinq groupes de Gardiens du territoire que nous avons bien entraînés à cet effet, certifia le géant.

Les petits groupes d'éclaireurs ennemis étaient effectivement de plus en plus nombreux, mais ne constituaient pas encore une menace réelle. Par contre, il y avait eu récemment au nord de la forêt des Bois Noirs une grande escarmouche[49] impliquant presque une soixantaine de Sottecks accompagnés de sorciers et de Yobs.

—Nous avons perdu de bons guerriers lors du dernier assaut… se désola le Jarl. La victoire a été nôtre, mais à quel prix!

—Oui, je sais! Ces créatures se reproduisent plus rapidement que vous, les humains et les elfes. Ce qui nous pose un léger problème d'effectifs, je te le concède. C'est la raison pour laquelle nous investissons autant d'énergie dans la formation de nos Gardiens du territoire.

Le géant regarda le Jarl qui fixait l'horizon.

---

[49] escarmouche : petite bataille

Marack père admirait au loin le châtaignier d'Och, un arbre absolument gigantesque aux feuilles bleutées situé à la lisière de la forêt.

—Tu es songeur, lui lança son ami.

—Savais-tu que cet arbre avait été nommé en l'honneur d'un arbre semblable que les druides comme Arminas vénéraient sur l'Ancien Continent? Ils se rassemblaient dans une vallée tout près de Kerroc'h pour l'équinoxe d'été…

L'arbre millénaire en question devait faire plusieurs centaines de coudées en hauteur. Sa cime dépassait toutes les autres et comme il était visible de loin, il servait de point de repère aux éclaireurs. De plus, il devait mesurer une trentaine de foulées de diamètre puisque plusieurs hommes furent nécessaires pour en faire le tour. Son tronc large était séparé en deux parties : l'une jeune aux branches volumineuses et feuillues, la seconde séculaire, rabougrie et tordue, mais encore solide. Plusieurs cavités laissaient croire que différentes créatures pouvaient y trouver refuge.

—Je te connais beaucoup trop pour ignorer que quelque chose d'autre te chicote! Je t'écoute, le relança le géant.

Le Jarl soupira.

—Je crois que le but des petits assauts était de sonder nos défenses, analysa le Krieger. La tentative de faire une trouée dans nos lignes

pourrait très bien être une diversion afin de permettre à d'autres groupes de contourner l'amas de gardiens déployé juste pour cette attaque…

—Je savais bien que ce crâne rasé cachait quelque chose! C'est la raison pour laquelle tu es le Jarl d'Hinrik. La stratégie militaire, tu as ça dans le sang! Mais si tu crois qu'il y a eu une brèche, alors il faut réagir tout de suite.

—C'est déjà fait, j'ai immédiatement expédié des patrouilles supplémentaires dans la Forêt des Ancêtres, au nord et aussi plus à l'est, juste au cas où, précisa le Jarl.

Le géant sourit en balançant sa tignasse échevelée en arrière.

—Aaaah! Dans le même ordre d'idée, ne trouves-tu pas un peu téméraire de n'envoyer qu'un seul Gardien du territoire avec neuf jeunes pour la corvée des caches? interrogea Lassik.

—La tâche va être ardue, mais la distance n'est pas si grande! J'ai précisé à Nordahl les deux cachettes qui feront l'objet de cette mission. Ce n'est qu'à quatre jours de la ville et à l'opposé des zones de combat.

Le Jarl lui avait aussi remis une carte expliquant les sentiers à prendre pour retrouver les endroits secrets. Un sur la rive nord de la rivière Jokulsa et l'autre sur la rive sud, presque au début du flanc des montagnes d'Orgelmir.

—Tu les envoies quand même dans les montagnes. Je sais par expérience que celles-ci sont dangereuses et je suis bien placé pour le savoir. Même les membres de mon clan se font quelquefois surprendre...

—Cesse de les materner, Lassik, il s'agit de futurs Gardiens du territoire! Ils sont sous la responsabilité d'un gardien d'expérience et, avec ce qui s'est passé hier soir, ces enfants ont besoin de résoudre leurs conflits autrement.

—Ah! Tu veux parler de l'incendie... remarqua Lassik.

Le Jarl préférait de loin que les excès de manifestations magiques se passent à l'extérieur de ses remparts plutôt qu'au beau milieu de la forteresse. C'était mieux pour la santé de tout le monde!

—Tu prends quand même des risques, Marack, les Montagnes d'Orgelmir sont une région sauvage!

—Un risque calculé, car je sais que mon fils sera à la hauteur. As-tu remarqué comment il s'améliore au maniement du marteau? commenta fièrement le père.

—Oui je sais, j'ai tout vu l'autre jour! De la vraie graine de Marack tout craché! répondit Lassik d'un air moqueur.

Chapitre 8

C'est un départ!

L'incident de la veille avait refroidi les ardeurs ainsi que les élans de grandeur de la magicienne. Dès l'aube, le chef de mission Nordahl Rolfson supervisait les neuf futurs gardiens qui passaient en revue l'inventaire de ce qui devait être apporté. Lassik était également présent, car sa position lui conférait certains avantages qu'il utilisait selon les occasions.

—Miriel, viens par ici mon enfant, j'ai quelques conseils à te donner, lui souffla-t-il en la prenant en retrait.

—Oui, Gardien du Secret Lassik, je vous écoute! répondit Miriel en souriant.

Elle aimait bien ce sympathique géant poilu qui veillait sur elle depuis son arrivée à Arisan.

—Arrête de faire tant de fla-fla, oncle Lassik fait très bien l'affaire! la gronda gentiment le géant.

—Oui, mon oncle, que désires-tu me dire? répondit-elle en riant.

—Tiens, prends ce coffret de bois. Il contient trois petites fioles magiques.

Il lui remit une cassette[50] pas plus grosse que la main d'un humain. La jeune elfe l'ouvrit avec précaution pour en inspecter le contenu.

—La bleue est pour la guérison, précisa-t-il, la limpide est pour te rendre invisible et la noire, disons que tu ne veux pas te retrouver à côté lorsque la bouteille sera fracassée… Oh, c'est une petite explosion, mais suffisante pour faire assez de dégâts. Alors, une fois lancée, cours et ne regarde pas en arrière avant d'être assez loin. On ne sait jamais ce qui peut arriver en mission! Je vais mieux me sentir de savoir que tu as quelques options à portée de la main.

—Merci, mon oncle! Wow, tout un cadeau! répondit Miriel, impressionnée.

Elle venait de recevoir ses premières potions magiques personnelles! Quelle fierté! Elle avait bien plusieurs mixtures druidiques sur elle, mais pas de magie comme celle-là…

---

[50] cassette : coffret

—Quoi? Juste un merci? Je m'attendais plutôt à un câlin! rouspéta Lassik, faussement déçu.

—Mais tu es un honorable membre de l'élite, ce serait mal perçu devant les autres, lui confia Miriel.

—Tu as raison, je suis après tout un Gardien du Secret! Alors, je t'ordonne de me faire immédiatement un câlin, petite coquine! la somma le géant.

Miriel enlaça son oncle chaleureusement en le remerciant de nouveau pour le fabuleux présent.

—Beaucoup mieux! Maintenant, va rejoindre tes compagnons et, surtout, prends soin des autres, tu es en réalité la plus sage du groupe! précisa Lassik en lui faisant un clin d'œil.

La confiance que son oncle lui accordait avait redonné à Miriel un second souffle. Cette mission de ravitaillement ne lui sembla tout à coup plus aussi ennuyeuse qu'au début.

Chaque jeune avait revêtu une armure de cuir souple à l'exception de Roxane. À son avis, aucune couleur d'armure ne s'harmonisait avec ses habits de mage violets.

De plus, il était hors de question qu'elle enfile une telle atrocité, sans compter l'odeur nauséabonde du cuir tanné et humide!

—Très bien, on passe en revue notre équipement! ordonna Miriel en énumérant le sien. Armure de cuir, bâton de combat,

eustache[51] dans ma botte droite et un barda léger pour une semaine de dix jours. Suivant!

—Mon armure de cuir, commença Marack fils, un bouclier rond, un marteau de combat, un poignard dans chacune de mes bottes et une dague à ma ceinture. J'ai également mon barda, une pique, trois javelots, une seconde épée courte, un arc et un carquois rempli de flèches…

—Le gardien Nordahl a dit un encombrement léger, Marack fils de Marack, le gronda la druidesse en fronçant les sourcils. Rappelle-toi, nous devons aussi transporter des provisions et des armes pour les cachettes. Pas un arsenal personnel complet!

Le grand guerrier dut se rendre à l'évidence qu'il était trop lourdement équipé et se départit à contrecœur de plusieurs armes.

—C'est à mon tour! s'écria Arafinway. Voici : j'ai mon armure de cuir souple, un coutelas à ma ceinture ainsi qu'un arc et un carquois comprenant 24 flèches. Un barda léger et quelques outils pour travailler le bois, rien de bien lourd, juste quelque chose pour passer le temps autour du feu.

—Roxane, c'est à toi, nous passons en revue notre équipement, demanda Miriel en calmant le tremblement de soudaine colère dans sa voix.

---

[51] eustache : couteau de poche à virole et à manche de bois, servant d'arme

—Aucune armure pour moi, cela interfère avec ma magie, déclara-t-elle.

« Ce n'est pas vrai, mais c'est plus facile ainsi, songea la magicienne. »

—Mon sac de voyage contient toutes mes affaires, expliqua Roxane à ses compagnons. Mes munitions sont prêtes à être enchantées et j'ai surtout mon Rox, mon super bâton d'artilleur. Je n'ai besoin de rien d'autre, nous avons l'habitude de voyager légers, nous les mages!

Miriel, exaspérée, leva les yeux au ciel. « Comment vais-je faire pour l'endurer pendant toute une semaine? pensa-t-elle. Dix jours, ouf! Inspire, calme-toi… »

Chacun des deux groupes avait la responsabilité de transporter tout le matériel que pouvait contenir un des deux refuges. Miriel lut la liste[52] à voix haute à ses compagnons.

—Je comprends maintenant la recommandation de ne prendre que le strict nécessaire. À quatre, nous allons être chargés comme des mulets, analysa Miriel.

La liste fut séparée en quatre parties selon les capacités de chacun.

La magicienne s'installa devant le paquet lui étant attribué et commença son incantation.

—*Magus vis ego nutus tu!*

---

[52] umbo : partie ronde en métal sur un bouclier qui protège la main

MATÉRIEL REQUIS PAR REFUGE

ARMES :
1 marteau de Lönnar du guerrier
1 Salkoïnas
2 arcs et 4 carquois remplis de flèches
2 épées longues
2 dagues, 3 poignards
12 jarres scellées à la cire :
4 remplies de noix
4 de fruits séchés
4 de bœuf séché et salé
1 lanterne + deux flasques d'huile
2 ballots de vêtements bien roulés
dans des capes en cuir
2 contenants de cire d'abeille
servant à imperméabiliser le cuir
2 rondaches en bois avec umbos en métal
1 petite bourse remplie de dix pièces d'argent
et de pièces d'or
1 aumônière avec une seconde épaisseur
de cuir pour protéger son contenu
1 petite fiole bleue dans une cassette de métal,
gracieuseté de l'alchimiste Lassik
2 bardas complets accompagnés
d'équipement d'escalade et de cordages
(étant donné la proximité des montagnes)

Ses pièces s'élevèrent à la hauteur de ses yeux puis s'agglomérèrent ensemble.

—Voilà! Rien de plus facile! C'est quand vous voulez, moi, je suis déjà prête à partir! pavoisa-t-elle en pointant son paquet suspendu légèrement au-dessus du sol devant elle.

Tous se retournèrent avec stupeur. Un sifflement d'admiration vint même du groupe d'à côté. La belle fille fit ondoyer ses cheveux de soleil sur ses épaules. Quelle magicienne!

—Hum! Hum! fit Nordahl, avec un regard de désapprobation.

Puis, le Gardien fixa Roxane en souriant et d'un simple petit *non* de son index lui fit comprendre que la besogne devait être accomplie sans l'usage de magie.

La magicienne lui offrit son plus charmant sourire, mais le chef ne changea pas d'avis. Avec une moue rageuse, elle plaça son paquet sur son dos et releva la tête fièrement. Cette mission n'avait définitivement plus aucun attrait pour elle.

—Impossible de démontrer son art! s'indigna Roxane à voix basse. Être condamnée à travailler physiquement, pfff! Décidément, cet entrainement n'est pas du tout ce à quoi je m'attendais! Mon père sera mis au courant du traitement ignoble que l'on me fait subir à Hinrik!

Miriel observa le Gardien d'un oeil nouveau et cacha soigneusement un petit sourire satisfait.

Le soleil tapait déjà fort et le petit escadron appréciait depuis un moment sa marche dans la forêt. Au loin, derrière eux, le point de repère principal des gardiens, l'immense et majestueux châtaignier d'Och, rapetissait rapidement. Le chant des oiseaux les accompagnait du haut de la frondaison[53], et le sous-bois relativement clairsemé devenait plus dense.

D'un pas rapide, ils s'enfonçaient de plus en plus vers le sud, vers les montagnes. Le Jarl d'Hinrik avait demandé au chef de revoir avec eux certaines de leurs techniques. Le Gardien n'était certes pas un éclaireur, mais en connaissait suffisamment pour leur montrer un truc ou deux.

---

[53] frondaison : l'ensemble des feuilles d'un végétal

Ainsi, tout au long du trajet, Nordahl posa des questions et chacun des jeunes y répondit selon ses connaissances.

—Comment déterminer si un ermitage est dans les environs? révisait-il. Observez les signes et les symboles sur les arbres, sur ces rochers. Voyez-vous ces pierres empilées d'une drôle de manière? Elles en indiquent la direction. Nous venons juste d'en croiser un… On ne redira jamais assez l'importance d'entretenir ces caches d'armes et de provisions!

—Dans combien de temps allons-nous arriver au premier refuge de cette mission? demanda Roxane, essoufflée.

—Il s'agit d'un trajet pouvant prendre de trois à quatre jours, selon la vitesse à laquelle vous avancez. Mais nous ne sommes pas pressés, certifia le Gardien du territoire.

Marack avait bien remarqué qu'Yrsa, son homologue dans l'autre groupe, était une guerrière accomplie. Ses compagnons semblaient également plus rapides à répondre aux questions pièges.

« Si nous avons surpassé le groupe d'Yrsa, il a fallu que nos performances, à Miriel et à moi-même, soient exceptionnelles pour compenser celles d'Arafinway… », songea-t-il.

La majorité des futurs gardiens avait très vite réalisé que cette excursion n'était pas qu'une punition, mais également une série d'épreuves servant à mesurer leur valeur ainsi que la synergie de leur groupe dans son entier.

Le soir venu, pendant que les autres préparaient le campement, chacun des éclaireurs partit à la recherche de nourriture pour son groupe. Les deux lunes du Solstice des Dieux[54] brillaient déjà de leurs reflets orangés lorsqu'ils revinrent au bivouac.

—Que nous rapportes-tu ce soir, Arafinway? questionna la magicienne, en appétit.

—J'ai presque réussi à attraper quelques lapins. Mais ils m'ont entendu venir, je crois, et ils ont déguerpi… j'ai dû me résoudre à abandonner la chasse. Par contre, j'ai trouvé des bleuets et du raisin sauvage! avoua l'éclaireur en soulevant en souriant une besace[55] de coton remplie de petits fruits.

—Un autre repas de baies, de racines et de champignons, pesta la magicienne. Décidément, je ne risque pas de prendre du poids avec ce régime!

Devant l'air contrit du jeune elfe, la druidesse tenta de le réconforter.

—Ne l'écoute pas, Ara, tu as fait de ton mieux, l'encouragea son amie. Nous allons en faire une soupe succulente! Je vais aussi enchanter les baies, tu verras, elles seront aussi

---

[54] Solstice des Dieux : deuxième trimestre d'une année sur Arisan, qui compte trois solstices de trois mois chacun ; voir les détails à la fin du livre.
[55] besace : grand sac de cuir ou de tissu

nourrissantes que n'importe quel plat de viande.

—Je sais, mais j'aurais aimé lui faire plaisir. Elle est habituée à beaucoup plus, murmura-t-il. J'ai encore besoin de préciser ma méthode au tir à l'arc si je veux être aussi habile que l'éclaireur de l'autre groupe qui nous accompagne. Promis, je vais redoubler d'efforts la prochaine fois!

Pendant ce temps, le groupe d'Yrsa faisait rôtir un appétissant civet d'écureuil. Du moins, c'est ce que les narines de Marack fils lui disaient lorsqu'il fermait les yeux. Il huma les odeurs délectables de la barbaque[56].

« Même si Miriel réussit toujours à compenser la maladresse de notre ami en sustentant[57] mon énorme appétit jusqu'au prochain repas, cela ne remplacera jamais ce fumet... songea-t-il avec dépit. La malchance ne peut pas toujours être au rendez-vous pour notre éclaireur! »

Au milieu du repas, le grand guerrier fit mine d'aller quêter une bouchée chez les voisins. Il se rassit aussitôt, foudroyé par le regard noir de sa cheffe. Il soupira fortement et retrouva son air renfrogné. Décidément...

Malheureusement pour eux, l'activité des repas était aussi une épreuve pour les éclaireurs comme pour le groupe. De plus, si Arafinway n'arrivait pas à se reprendre dans son rôle

---

[56] barbaque : viande grillée
[57] sustenter : combler, apaiser

d'éclaireur, il aura lamentablement échoué, encore une fois.

« Il pourrait même être muté dans un groupe de débutants, pensa Marack avec amertume, car il aimait bien son jeune ami elfique et il s'y était attaché. C'est décidé, je prends les choses en main! » dit-il en se levant pour assurer son tour de garde.

Dès le lendemain, Marack s'était confectionné un javelot de fortune avec son poignard et entreprit d'éduquer son éclaireur à l'art de la chasse. Le troisième jour, Arafinwy rabattit un marcassin[58] jusqu'à son ami qui l'attendait l'arme pointée. Un coup de marteau aurait également très bien pu faire l'affaire, mais le guerrier voulait démontrer son habileté avec une arme différente.

Ce soir-là, l'humeur du groupe était légère. Les deux elfes, qui aimaient cuisiner ensemble, apprêtèrent cette viande généreuse en bavardant joyeusement.

—Ils sont toujours comme ça, ces deux-là? demanda Roxane à Marack fils.

—Miriel et Ara ont quasiment grandi ensemble à Feygor. Ils entretiennent ainsi une vieille habitude prise dans les cuisines de la citadelle, expliqua-t-il en brassant les tisons.

---

[58] marcassin : jeune sanglier

Elle soupira en regardant ailleurs.

Le festin de sanglier régala les amis. Même la magicienne ne passa pas de commentaires désobligeants. Miriel, quant à elle, était tellement fière de ses deux braves chasseurs! Surtout lorsque le Gardien Nordahl fit un commentaire élogieux sur leur prouesse.

Roxane préférait garder ses distances, elle avait de la difficulté à se faire de vrais amis, son statut de magicienne la plaçait toujours au-dessus des autres.

« Je suis tellement différente de ces gens, constata-t-elle en les regardant s'amuser autour du feu. Ceux qui emploient la magie sont toujours voués à de grandes choses comparativement aux autres castes. D'ailleurs, je me suis si souvent fait dire que c'était ma destinée de mage! Parfois, je trouve la solitude insupportable… mais je dois m'y faire. De plus, cette druidesse de pacotille m'énerve au plus haut point! »

Elle lui envoya un regard chargé d'animosité. Miriel lui répondit par son plus beau sourire, ce qui attisa la colère de la magicienne qui la pointa du doigt. La jeune elfe releva le menton en signe de défi.

Immédiatement, ce nuage d'antipathie entre elles créa encore une atmosphère tendue. Le petit manège n'échappa pas à l'œil exercé de leur guerrier. Seulement, depuis l'incendie, chaque fois qu'il tentait d'intervenir, il se faisait rabrouer pas les deux filles en même temps. Arafinway, qui était aussi souvent pris entre les deux, se leva prestement en regardant sa druidesse.

Miriel comprit le message et tenta de se calmer. « Sois meilleure que tes ennemis me disait mon père, essaie de comprendre leurs motivations… Ouin, il n'a jamais eu à faire face à une telle pimbêche prétentieuse! »

—C'est ça, Arafinway, va assumer mon tour de garde! ordonna Roxane, toujours le doigt levé.

—Grrrr, marmonna Miriel en se faisant retenir juste à temps par son guerrier.

Le jeune s'éloigna lestement pour faire une ronde, trop heureux de quitter cette ambiance pourrie.

La druidesse n'acceptait pas que la nouvelle venue puisse donner des ordres à ses amis. L'enjeu du duel n'avait jamais été concluant. Roxane le savait bien et elle tentait d'imposer son autorité. Cependant, en tant que druidesse du groupe, le rôle de cheffe lui revenait de facto. Il faudrait bien régler ça un jour ou l'autre, et le plus tôt serait le mieux!

Au loin dans la nuit, les jeunes entendirent hurler les loups, signe qu'ils approchaient des montagnes. Roxane tressaillit. Jamais elle n'était allée aussi loin de la Capitale.

La rivière Jokulsa

Sur le dessus d'un promontoire rocheux, les futurs gardiens admirèrent un paysage à couper le souffle. Les forts vents balayaient des plaines peu fournies en végétation qui s'étendaient jusqu'au pied des majestueuses montagnes d'Orgelmir, si belles de neige et si redoutables.

—Trois jours et demi de marche, c'est une bonne moyenne, annonça le Gardien en chef de l'escadron de ravitaillement. Il est presque midi et nous sommes enfin arrivés à destination. Voici la rivière Jokulsa! leur dit-il avec fierté.

À leurs pieds, une rivière tumultueuse était nichée au creux de falaises escarpées. La Jokulsa était tellement vaste qu'on distinguait à peine l'autre rive. De plus, l'eau semblait si froide que

de larges pans des berges étaient couverts de frimas. Le fort courant charriait aussi d'énormes blocs de glace bleutés.

—Est-ce ici que nous établissons le campement? demanda Yrsa en tenant fermement sa cape.

—Oui, je crois que c'est un bon endroit. Nous allons descendre un peu plus bas vers ces rochers hérissés où nous serons à l'abri, déclara Nordahl.

Il leur expliqua leur position géographique. En faisant ainsi face au sud, l'intersection des monts Krönen et des montagnes d'Orgelmir était complètement à l'est et à un peu moins de trois journées de marche.

Les futurs gardiens écoutaient à moitié, trop heureux d'établir le campement pour un repos bien mérité. Ils descendirent les flancs d'un pas rapide et Marack déposa son gigantesque chargement avec soulagement, imité par les autres.

—Nous nous installons donc ici, dans le premier refuge, précisa le Gardien. Le second se trouve en ligne droite de notre position, juste là, sur le côté sud de la rivière, à moins d'une demi-journée de marche, pointa-t-il en visant le massif blanc.

—Dans les montagnes? s'écria Arafinway. Mais c'est beaucoup trop dangereux! Nous n'avons pas le droit d'y aller.

—Je sais, vos maîtres d'armes vous ont toujours avisés contre cette idée, mais cette cache n'est qu'à une heure à l'intérieur des plaines. Il peut y avoir un peu de neige, mais rien de bien dangereux. De toute façon, j'ai déjà eu cette discussion avec le Jarl et les maîtres d'armes d'Hinrik. Ils ne voyaient pas d'inconvénient majeur à vous y envoyer.

—Ah! bon! Si ce n'est que cela, alors mon groupe se porte volontaire pour remplir l'ermitage du côté sud de la rivière, annonça Roxane d'une voix forte à la surprise générale.

—Quoi? Nous? Mais… mais… Arafinway ne savait plus quoi répondre.

Miriel, par contre, foudroya sa rivale de son pire regard.

—Très bien, le groupe de Roxane a la responsabilité de la seconde cachette, conclut le Gardien agréablement surpris d'avoir des aventuriers audacieux. Vous pouvez prendre vos provisions et commencer votre marche immédiatement en longeant la berge nord de la rivière. Allez plein est.

—Ne serait-il pas plus simple de traverser ici? questionna Roxane en affichant un air de supériorité.

—Impossible! La Jokulsa est peut-être plus étroite, mais les courants sont trop forts. Vous allez devoir marcher deux heures et traverser

grâce à une petite plateforme de bois dissimulée dans les bois. C'est l'unique traverse et la plus sure.

Marack leva les bras en signe de résignation et ramassa le campement qu'il venait tout juste de commencer à installer.

—Ne perdez pas trop de temps, reprit Nordahl. J'estime qu'en cinq bonnes heures vous pourrez établir votre bivouac directement en face du nôtre. Nous vous verrons de loin, mais au moins je saurai que vous êtes rendus. Demain, vous irez remplir la cachette et nous vous attendrons avant d'entreprendre la route du retour. N'oubliez pas ce que vous avez appris dans votre entrainement. C'est le temps de tout mettre en pratique. Impressionnez-moi!

—Nous y serons dans les temps, Gardien du territoire, déclara Miriel sur un ton ferme. Même si je dois encourager personnellement chacun de mes compagnons pour y arriver... Et tout particulièrement notre chère magicienne! ajouta-t-elle en regardant Roxane au loin qui avait pris un peu d'avance afin d'établir son statut de cheffe.

Quelques minutes plus tard, les quatre futurs gardiens entamaient la route en solo, pour la première fois, sans entraineur ni guide. Arriveront-ils avant que ne tombe la noirceur?

—Veux-tu bien m'expliquer pourquoi tu nous as déclarés volontaires pour le second refuge? ronchonna Marack à Roxane. C'est un risque qui n'a pas de sens. Nous aurions pu effectuer cette mission tous ensemble et éviter de scinder l'expédition en deux!

—Surtout que nous devons aller dans les montagnes, là où il ne faut jamais aller! rouspéta Arafinway.

—Pour impressionner un Maître, il faut savoir être opportuniste, répondit la magicienne sans s'arrêter. Vous me remercierez plus tard, lorsque le Gardien louangera notre bravoure et notre débrouillardise auprès de ses supérieurs, une fois la mission accomplie!

—Notre bravoure, notre débrouillardise! Ça fait moins de deux semaines que tu es parmi nous et déjà tu te prends pour la cheffe. Tu décides de nos actions à tous, sans même nous consulter! lança la druidesse. Sache que les Gardiens travaillent en équipe, pas comme des subalternes!

—Miriel, ce n'est pas nécessaire, s'interposa le guerrier qui ne voulait pas d'une seconde confrontation magique en pleine nature.

Mais Roxane continuait de marcher sans se retourner.

—Laisse, Marack, elle en a déjà trop fait! explosa la jeune elfe en s'adressant directement à sa rivale. Non seulement tu as essayé de me tuer, tu as mis le feu à la ville d'Hinrik, et tu oses t'afficher comme la toute puissante magicienne que tu n'es pas! Surtout, ne viens pas me dire que je n'y connais rien à la magie, car je suis une druidesse et mon parrain est nul autre que Saint-Beren de la ville d'Alvikingar!

À la mention du célèbre personnage respecté des mages de la Capitale, Roxane s'arrêta brusquement.

—Bravo! Est-ce que j'aurais enfin ton attention? s'écria la druidesse en gesticulant, hors d'elle. Oui, c'est bien lui, le chef spirituel de l'église de Tyr, l'un des premiers arrivants sur l'ile d'Arisan, un Gardien du Secret et aussi un des membres les plus éminents du Conseil des magiciens de notre colonie! Côté magie, crois-moi, je dois t'avouer que je m'y baigne depuis mes plus lointains souvenirs! Alors, espèce de hâbleuse, tu n'as plus rien à dire, tellement j'ai raison? termina Miriel sur une note satisfaite.

La magicienne se retourna vivement et fixa Miriel. Sur ses joues humides parsemées de taches de rousseur coulaient de petites rigoles de larmes. Ses épaules tressautaient doucement d'émotion.

Immédiatement, Arafinway s'élança et la prit par les épaules en tentant de désamorcer la situation.

—Mais non, ce n'est pas grave, Miriel ne voulait pas dire toutes ces choses pour te blesser… Je la connais bien, c'est comme ma grande sœur, expliqua-t-il.

—Tu aurais pu y aller moins durement, tu sais, elle vient tout juste d'arriver, marmonna Marack en s'avançant à son tour vers la jeune magicienne éplorée.

—Je… Je ne voulais pas m'imposer, bredouilla Roxane, mais on attend toujours plus de moi. Alors j'ai simplement agi de mon mieux! Je voulais simplement que vous récoltiez aussi quelques honneurs…

—Noooon… ce n'est pas sérieux! s'étonna Miriel, abasourdie. Vous n'allez pas croire cette piètre performance!

Son guerrier lui jeta un regard désapprobateur.

—Continuons si nous voulons arriver dans les temps, dit-il. Démontrons au Gardien ce dont nous sommes capables d'accomplir en groupe. Roxane, donne-moi une partie de ta charge, je vais la transporter pour toi, offrit-il gentiment.

La magicienne se délesta prestement d'une bonne partie de son fardeau et le guerrier s'empressa de le charger sur ses épaules.

—Je vais marcher en tête de ligne, après tout, c'est mon rôle d'éclaireur. S'il y a quelque

chose sur le chemin, n'aie crainte chère amie, je vais t'avertir! l'avisa Arafinway qui prit également une partie des provisions que Roxane transportait.

Miriel les regarda agir, complètement renversée par l'avalanche d'attention qu'ils accordaient subitement à la magicienne qui essuyait ses larmes avec la manche de sa tunique.

Une fois que l'éclaireur et le guerrier furent un peu plus loin devant eux, Roxane se retourna une dernière fois dans la direction de Miriel, toujours stupéfaite.

—Merci, vous êtes tous les trois de vrais amis! déclara Roxane d'une voix assez forte pour que les deux jeunes hommes puissent l'entendre. Je suis honorée de faire partie d'un groupe comme le nôtre, et nous allons y arriver tous ensemble… Nous sommes prêts, Cheffe! lança-t-elle en s'adressant à la druidesse.

Elle lui sourit bizarrement avant de tourner les talons pour suivre les autres.

—Aaaaah! soupira Miriel. Ils sont tous les deux tombés sous son charme… Pire, elle a réussi à leur faire transporter presque la totalité de sa charge, et ce, sans avoir eu recours à la magie! réalisa-t-elle.

De plus, elle n'était pas trop sure de la signification de ce petit rictus bizarre. Amie ou ennemie?

—Allez. Cheffe, il faut continuer d'avancer pour ne pas faire mentir Roxane! gesticula Arafinway en invitant la druidesse à emboiter le pas plus rapidement.

« Décidément, je vais devoir me méfier de cette petite artificieuse[59]… », songea la druidesse en les rattrapant.

Le groupe de futurs gardiens arriva en presque deux heures au traversier de fortune. Le guerrier constata qu'effectivement, à cet endroit précis du large détour sinueux, le lit de la rivière semblait moins profond et plus calme.

La plateforme était aussi à sa place parfaitement camouflée par un épais taillis. Les jeunes déplacèrent jusqu'à la berge de galets les lourds rondins lacés.

—Je n'ai vraiment pas envie de m'y baigner! déclara Arafinway en mettant une botte dans l'eau glaciale.

—Si nous arrivons à tout placer en équilibre, nous n'irons pas à la flotte et un seul passage sera nécessaire, déclara Marack en y déposant les bagages.

---

[59] artificieux : rusé, machiavélique, fourbe

—Roxane, place-toi bien au centre, c'est vraiment l'endroit le plus sécuritaire, suggéra l'éclaireur. Nous allons diriger l'embarcation avec ces branches en guise de rames.

Les jeunes s'entassèrent prestement sur le traversier et l'angoisse se fit sentir.

—J'espère que ça flotte encore! s'exclama Roxane en semant le doute dans l'esprit de ses compagnons.

Marack poussa sur sa perche de toutes ses forces et le radeau décolla de la rive pour suivre le courant. Heureusement, il flottait!

Soudain, une vague les souleva et les rondins s'enfoncèrent sous la ligne de flottaison, mouillant au passage une partie de l'équipement.

—Attention! hurla la magicienne en sautant sur le paquetage pour ne pas humecter ses bottes de cuir.

Son action fit tanguer dangereusement le frêle radeau.

—Oooo… Ooooo! Non, non, non… fit Marack en reprenant son équilibre de justesse. Ara, Miriel, plantez vos perches dans le fond de la rivière! Voilà! Ouf, nous sommes saufs, pour un moment… Nous ne sommes qu'au tiers du trajet.

Au même instant, un énorme bloc de glace les percuta par le côté et les déstabilisa de nouveau.

Bang!

—Ahhhh! Non, non, non… Miriel, fais quelque chose! hurla Marack qui peinait à se tenir à bord.

Rapidement, la druidesse fit une courte prière à Lönnar et invoqua l'élément de l'eau.

En quelques secondes, une mince couche de glace enroba le radeau et monta de quelques coudées pour en faire un bastingage. Ce n'était pas très épais, mais suffisant pour créer une barrière naturelle et les garder relativement au sec. Par contre, le matériel mouillé et la glace les rendaient plus lourds… et ils continuaient à s'enfoncer dans les eaux glacées.

—Ah? Nous avons le droit d'utiliser la magie? s'exclama Roxane. *Magus vis ego nutus tu!*

En quelques secondes, elle lança à son tour son fameux sort de légèreté et le radeau… continua de couler.

—*Magus vis ego nutus tu!* répéta-t-elle avec plus de vigueur. *Magus vis ego nutus tu!* Pourquoi ça ne fonctionne pas?

L'embarcation se souleva à peine, et l'eau arrivait maintenant presque au bord de la barrière de glace. Marack lui lança un regard étonné.

—Hum! Hum! Peut-être n'es-tu pas assez… puissante, toussota-t-il pour lui-même. Une apprentie, comme nous tous…

—Quoi? Qu'est-ce que tu as dis? rugit la magicienne.

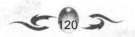

Miriel maintenait sa concentration sur la glace tandis qu'Arafinway utilisait la perche pour les diriger vers la rive.

Brusquement, Marack sauta dans l'eau glacée. En une fraction de seconde, l'onde de choc souleva un coin du radeau et il remonta à la surface. C'était suffisant pour que le grand guerrier puisse le pousser de toutes ses forces sur les gravillons... sains et saufs!

Les compagnons trempés débarquèrent à la hâte les bagages et les déposèrent plus loin sur la berge.

—Dois-je camoufler le traversier? demanda l'éclaireur.

—Non, ça ira, nous revenons demain. Nous le replacerons à ce moment dans son taillis, de l'autre côté, déclara Roxane. En attendant, dépêchons-nous à aller monter ce foutu campement afin que je me réchauffe!

Chacun reprit son paquetage et entama les deux prochaines heures de route en silence.

À la brunante[60], les jeunes réussirent à atteindre le point de rendez-vous de l'autre côté de la rivière. Ils montèrent leur bivouac en parfait alignement avec le campement des autres sur la rive nord de la Jokulsa. Le groupe de Miriel pouvait maintenant se reposer après une très longue journée de marche.

---

[60] brunante : crépuscule, fin du jour, tombée de la nuit

Arafinway harponna quelques poissons tapis dans une cuvette naturelle de rochers, au bord de la rive. L'eau était limpide et il n'y avait presque pas de courant. Des conditions idéales pour un archer qui visait ses cibles à bout portant.

—Je prends le premier tour de garde, annonça Marack d'une voix ferme.

—Alors, je prendrai le second! riposta Roxane avant que Miriel ne puisse dire quoi que ce soit.

—Très bien, Arafinway et moi ferons la ronde de demain, une fois notre mission complétée dans la montagne, précisa Miriel sans trop laisser paraitre sa méfiance envers la magicienne.

Un peu plus loin sur la rive nord de la rivière, tout près du promontoire par lequel les futurs gardiens étaient arrivés en matinée, des créatures épiaient sans se faire remarquer.

—Commandant, il y a deux feux de camp, un sur chaque rive! Je vois cinq petits chiens et un plus grand de notre côté, indiqua le Yob.

—Attendons l'aube, nous les prendrons par surprise, se réjouit le Sotteck Worthag. En écrabouillant le groupe le plus nombreux, il nous sera facile par la suite d'attraper les autres. De toute façon, ils sont prisonniers de

l'autre côté de la rivière, coupés de leur ville. Un groupe de quatre informateurs à interroger, quoi demander de mieux? jubila-t-il avec satisfaction.

—Vous les voulez les quatre vivants? demanda un de ses soldats sottèques, un peu déçu.

—Pourrais-je m'en garder un pour le gouter? questionna le Yob en se léchant les babines à l'idée de la chair elfique, petits démons aux oreilles pointues.

—Il m'en faut au moins deux encore en état de parler, alors tâchez de ne pas trop me les abimer! réclama le shaman.

Chapitre 10

L'embuscade

Malgré la fatigue accumulée, Roxane réussit à faire le second tour de garde en entier sans dormir. Elle s'était installée sur une petite butte, un peu au-dessus du campement, où elle pouvait avoir une meilleure vue sur les alentours. De toute façon, il était à peu près impossible de fermer l'œil tant Marack ronflait bruyamment en contrebas.

Les premières lueurs du matin permettaient de voir s'évaporer une légère brume au-dessus du sol. Debout, elle fixait intensivement la rive opposée en rabattant constamment son capuchon qui se gonflait de vent.

—Psst! Roxane, qu'est-ce que tu fais? demanda Arafinway à moitié endormi en venant la rejoindre.

—Je regarde et j'observe! répondit à voix basse la magicienne.

—Tu observes quoi, exactement? s'intéressa l'éclaireur en s'étirant.

—Je regarde le test que va subir l'autre groupe de futurs gardiens. Je crois que les maîtres d'armes se sont costumés en Sottecks pour les surprendre et voir comment ils vont réagir, commenta Roxane.

—Ah oui? questionna l'elfe encore somnolent.

—Je vois, complètement à droite de leur campement, un groupe avec des fourrures qui s'avance en catimini[61] dans leur direction. Ils vont être surpris et sans doute testés en situation de combat.

L'elfe se frotta les yeux puis les plissa pour observer un peu mieux le groupe qui s'avançait. Son excellente vision elfique lui donnait un avantage sur les humains. Soudain, une expression d'horreur s'afficha sur son visage.

—Mais ce ne sont pas des Vikings ni des elfes, se sont de véritables créatures! réalisa l'éclaireur.

—Voyons, penses-y un peu! Ce n'est pas possible! Maître Nordahl a bien mentionné que cette aventure était une sorte d'épreuve pour nous renforcer, nous évaluer. De toute façon, les groupes de gardiens interceptent tout ce qui provient de la Forêt des Bois Noirs. De plus, nos ennemis ne sont pas assez fous pour emprunter les montagnes qui nous entourent, ce serait du suicide! déclara Roxane avec assurance.

---

[61] catimini : en cachette, discrètement, secrètement

Déjà, Arafinway ne l'écoutait plus et descendait la butte en vitesse.

—Miriel! Ils vont se faire attaquer par une horde! souffla l'éclaireur en la brassant vigoureusement.

—De quoi parles-tu, Ara? demanda la druidesse encore endormie.

—Là, de l'autre côté, il y a des Sottecks et des Mourskas sur le point d'attaquer nos amis! s'énerva Arafinway.

—Mais non... ce ne sont que des costumes! les rassura Roxane qui le suivait. Une épreuve dans laquelle nous ferions également partie si nous n'étions pas de ce côté-ci de la rive.

Miriel se leva et remonta avec les autres sur le monticule. Les deux elfes se mirent à observer plus en détail les mouvements des soi-disant attaquants.

—Montre-moi, Ara! Es-tu certain de ce que tu avances? s'alarma la druidesse.

—Regarde, là et là! pointa-t-il. Je te le confirme, ce sont véritablement des troupes ennemies et je crois avoir aperçu la tête d'un Yob un peu en retrait à l'orée du bois, réitéra l'éclaireur en panique.

Soudain, Miriel réalisa qu'il s'agissait bel et bien d'un bataillon inconnu.

—Yrsa! Nordahl! Levez-vous! Alarme! Debout! s'époumona-t-elle en leur faisant de grands signes avec les bras.

Marack bondit sur ses pieds immédiatement aux mots *alarme* et *debout*. En tunique fripée et les cheveux en bataille, il enfila ses bottes et se plaça dans une position défensive. Marteau à la main, prêt à faire face à l'ennemi, il scruta rapidement ses alentours immédiats pour déterminer la gravité de l'attaque imminente.

—Nous sommes trop loin, ils ne nous entendent pas, et la vigie ne regarde même pas dans notre direction, précisa l'éclaireur à sa cheffe.

—Mais il faut les avertir! Les prévenir du danger! s'obstina la druidesse.

Réalisant qu'il ne s'agissait pas de leur groupe, mais de celui d'Yrsa dont il était question, le guerrier se hissa près de ses compagnons.

—Miriel, est-ce que tu peux employer ta magie pour attaquer ces ennemis? s'enquit Marack.

—Ils sont beaucoup trop loin pour que ma magie ait une chance de les atteindre. Je ne sais même pas si j'ai le temps de faire un rituel pour tenter de les avertir! conclut-elle avec colère.

Voyant que ses amis étaient tous alarmés et impuissants devant la situation, la magicienne choisit l'une de ses munitions dans son sac de voyageurs. Elle chargea son bâton d'artilleur avec une gemme mauve pas plus grosse qu'une

pomme avec des écritures runiques. Elle la déposa délicatement dans la gorge du dragon de son bâton d'artilleur en prononçant quelques mots magiques. Le projectile se mit à pulser de plus en plus rapidement d'une énergie violette et surnaturelle.

—Vite, Roxane, ils sont presque sur eux! s'emporta Arafinway.

Les jeunes reculèrent de quelques pas pour laisser la magicienne s'élancer de toutes ses forces dans la direction des attaquants.

La boule prit son envolée, monta très haut dans les airs puis… plongea dans la rivière!

Plouf!

—C'est tout? Mais il ne s'est rien passé! s'écria Marack.

—Je le vois bien! Ils sont trop loin pour moi aussi. Mais, je peux encore tenter une dernière chose, répliqua la magicienne.

Elle sortit cette fois-ci un autre cristal de couleur rouge, pas plus gros que le précédent.

—Cette fois c'est la bonne, se jura Roxane.

Elle s'élança de nouveau, et le boulet s'envola sur une belle lancée, atteignant même un sommet plus élevé que le précédent. Chacun retint son souffle en ne le quittant pas des yeux. Malheureusement, la distance à parcourir était encore trop grande pour les capacités de la magicienne et le cristal amorça sa descente.

Soudain, avant d'atteindre la surface de l'eau, une explosion se produisit au-dessus la rivière.

Boummmm!

Une immense boule de feu d'une dizaine de foulées[62] de diamètre apparut dans le ciel. Si le bruit réveilla tout le monde, la projection était de loin la plus marquante.

—Ahaaah! Les chiens de l'autre côté de la rivière nous attaquent! Ils vont nous bruler vivants avec leur magie de feu! s'écria un Mourska apeuré par l'explosion sous ses yeux.

Il se baissa en protégeant sa tête poilue de ses gros bras verdâtres.

—Non, arrête de dire n'importe quoi! Ils sont trop loin... la preuve? Nous sommes toujours vivants. Mais ils ont alerté nos proics... Dépêchez-vous, chargez avant qu'elles ne s'organisent pour nous recevoir, commanda le shaman à ses troupes.

Maintenant découverts, ils se relevèrent tous de leur position. La surprise n'étant plus une option, ils chargèrent en hurlant à la mort.

---

[62] foulée : ordre de grandeur pour mesurer la longueur, soit un pas d'homme, un pied ou trente centimètres

Sur la butte, les futurs gardiens ne pouvaient qu'assister, impuissants, à l'embuscade qui s'annonçait meurtrière.

—Regardez, ces ignobles créatures donnent la charge! grogna le guerrier mécontent en gesticulant, le marteau à la main.

—Oui, mais au moins, nos amis ne seront pas complètement pris par surprise! Ils sont debout et se préparent à les recevoir, fit remarquer l'éclaireur.

—À vos armes! Nous sommes attaqués! hurla Nordahl en tentant de déterminer la meilleure défense pour ses jeunes.

—Protégez le druide! cria Yrsa.

Les deux guerriers et les deux éclaireurs du groupe prirent position en forme de demi-lune devant le jeune druide. Les parois des rochers formaient un mur de protection naturelle sur le flanc gauche et la Jokulsa grondait sur leur droite.

—Je vais tenter de les ralentir, sauvez-vous dans la forêt! Courez! les somma le Gardien en brandissant son marteau de Lönnar et son bouclier aux entrelacs celtiques. Cachez-vous, faites tout ce que vous pouvez pour survivre et rejoignez la forteresse d'Hinrik le plus rapidement possible!

—Nous pouvons vous aider! Nous sommes prêts! contesta Yrsa, une épée bâtarde[63] à la main, en plaçant son groupe en retrait derrière le Gardien.

Ils n'eurent plus le temps de discuter. Quatre mourskas suivis de cinq Sottecks arrivaient rapidement pour leur tomber dessus avec force. Le shaman Worthag s'était rapproché, mais demeura à une certaine distance de la mêlée. Il analysait la situation de loin.

—Je tente quelque chose! annonça le jeune druide, à l'abri derrière ses compagnons.

Concentré sur les adversaires qui se ruaient vers eux, il entama une série de paroles et fit la gestuelle appropriée. La magie druidique atteignit les racines de quelques arbres, les lierres ainsi que les branches de certains arbrisseaux.

Même s'il n'était pas encore très puissant, le druide créa une aire enchantée sur le parcours des premiers Mourskas, juste avant qu'ils n'atteignent le Gardien du territoire.

Lorsqu'ils traversèrent la zone, la verdure ensorcelée s'anima brusquement et agrippa solidement les jambes de ses victimes. Les quatre adversaires empêtrés s'immobilisèrent presque immédiatement.

—Bien joué! s'écria Yrsa. Archers, encochez! ordonna la guerrière.

---

[63] épée bâtarde : épée dite une main et demie; elle se manie d'une seule main ou à deux mains

Les deux éclaireurs se déplacèrent de plusieurs pas vers la droite, vers la rive, afin de ne pas tirer par inadvertance sur leurs guerriers. Ils n'attendirent pas la suite pour décocher leurs flèches en rafales dans l'amas de Mourskas solidement maintenu par magie.

Les Sottecks qui arrivaient ensuite virent leurs compagnons d'armes se faire saisir par les branches. Ils se scindèrent en deux plus petits groupes et contournèrent lestement cette zone maléfique.

Worthag analysait la scène. « Un de ces deux assauts nous permettra sans doute de nous rendre jusque sur ce belliqueux de chien adulte, pensa-t-il avec rage. Il a même l'audace de nous narguer! »

Voyant qu'une partie de ses effectifs venait d'être amarrée à un point fixe par de la simple végétation, le shaman décida qu'il était temps d'intervenir.

Il se rapprocha pour se protéger derrière la masse de Mourskas emberlificotée qui lui servit de bouclier. Les flèches pleuvaient toujours dans sa direction, mais il marcha prudemment en faisant une série de grondements gutturaux dont les vibrations firent vibrer la poussière autour de lui.

Il s'arrêta quelques pas avant la zone enchantée par le druide, bien à l'abri derrière un corps piqué, inanimé. Il déboucha sa gourde et laissa s'écouler un filet continu d'eau sur le sol. Le

liquide glissa sur la terre comme un léger ruisseau et contourna la végétation maléfique.

Les archers qui continuaient à décocher leurs flèches ne firent pas attention à cette coulisse ordinaire ni même à la rivière qui se gonflait dans leur dos. Soudain, d'un coup sec du revers de la main, le shaman brisa le filet d'eau qui s'écoulait de sa gourde.

Swoosh!

Au même moment, deux immenses jets d'eau sortirent de la rivière Jokulsa et s'abattirent à toute vitesse sur les deux archers, les emportant.

—Nooon! Haaaaaaaaaaa! *Crak! Craaaaak!*

Les deux jeunes furent projetés tête première sur de gros rochers à une vingtaine de foulées plus loin. Broyés sous l'impact, les deux corps retombèrent inertes sur le sol.

« La menace des flèches est maintenant passée », souligna le shaman avec un sourire.

Le reste du groupe fut aspergé d'eau glacée, mais tint bon la position de défense, car les cinq Sottecks avaient engagé le Gardien armé de son marteau et de son bouclier rond renforcé de métal et de ferrures entrelacées.

Malheureusement pour les assaillants, Nordahl semblait être possédé et avait réussi à terrasser un Sotteck tout en maintenant les autres en respect. Les deux jeunes guerriers avaient reculé pour protéger le druide.

—Ne vous en faites pas! lança le jeune, concentré sur la végétation. Je continue à garder le contrôle sur ma magie druidique! Il n'y a rien qui pourra m'empêcher de faiblir, je pourrais mê...

Plonk!

Le jeune s'arrêta net et s'affaissa. Yrsa aperçut du coin de l'œil le corps de son compagnon étalé sur le sol, la pointe proéminente d'un énorme javelot sortant de sa poitrine.

—Nooon! hurla-t-elle en se retournant.

—Aaaarrrrrrggg! crièrent en même temps les deux Yobs en chargeant à leur tour les deux jeunes encore debout.

Sous les ordres du shaman, couper leur retraite et les capturer, ils avaient profité du couvert des rochers pour les contourner et les prendre à revers. Les jeunes se battirent avec toute la force du désespoir.

Voyant ses effectifs sortir des taillis pour capturer les deux jeunes, Worthag était de plus en plus confiant. Il délaissa l'altercation des Yobs pour s'occuper du Gardien.

—Quoi? Le vieux chien a terrassé un second Sotteck! s'insurgea-t-il. Je dois rapidement me débarrasser de cette nuisance!

Il prit une petite pièce de métal très lisse et commença à la frotter énergétiquement entre son pouce et son index.

—Écartez-vous, je me charge de lui! ordonna Worthag.

Les Sottecks obéirent prestement laissant la place à leur chef. Armé de son gourdin clouté, il s'avança vers le Gardien en sueur en fixant l'arme du guerrier. Presque de la même taille, le Sotteck avait néanmoins l'avantage et attaqua le premier.

Swoop! Klang! Chtonc! Klang!

Les premiers échanges étaient surtout, de part et d'autre, pour évaluer l'adversaire. Nordahl avait déjà reçu quelques estafilades, mais l'adrénaline lui donnait une force presque surhumaine. Il n'avait plus rien à perdre et il fallait protéger les derniers jeunes, même s'ils n'étaient plus dans son champ de vision.

Cependant, le temps était aussi en faveur du shaman.

—Mais quelle sorcellerie emploies-tu? s'écria le Gardien qui avait de plus en plus de difficulté à tenir son foudroyant marteau de Lönnar.

Le shaman ne comprenait rien à la langue du chien, mais il se doutait bien que sa magie venait d'entrer en action.

Le marteau à deux têtes de bélier du Gardien ainsi que son bouclier se mit à prendre une couleur rougeâtre. Ce changement n'était pas aussi grave que l'effet de chaleur intense qui accompagnait cet effet magique. Il commença à dégager de la fumée puis à bruler la main et l'avant-bras du guerrier.

Ne pouvant le maintenir encore bien longtemps, Nordahl gronda de colère en voyant que sa fin arrivait à grands pas.

—Il est hors de question de me faire terrasser sans arme dans la main, hurla-t-il. Je suis un Viking, un Krieger et j'irai au Valhalla[64]! Alors, c'est au combat, avec une arme à la main que je mourrai en guerrier!

Brusquement, dans un effort suprême, arme et bouclier devant, il tenta une attaque des plus téméraires.

—Aaaaarhhh! cria-t-il en se précipitant sur le shaman.

Worthag ne s'attendait pas à ce que ce chien enragé lui donne la charge. Il misait plutôt sur un désarmement complet et dut reculer de plusieurs pas pour éviter l'assaut.

Le Gardien enragé n'avait qu'une seule idée en tête : marquer au fer rouge son ennemi avec son marteau ou son bouclier.

—Tuez-le! Tuez-le! commanda frénétiquement le shaman aux Sottecks qui l'entouraient. Trop peu, trop tard, le Viking était déjà sur lui.

Blunk! Ssshhh!

---

[64] Valhalla : dans la mythologie nordique, paradis où les valeureux Vikings défunts sont amenés

—Aaaaaahhh! hurla le shaman au contact de la ferrure entrelacée sur sa joue.

Il avait réussi à dévier le marteau de bélier avec son gourdin, mais l'homme le plaqua solidement au sol et se servit de tout son poids pour marquer au feu l'ennemi qui l'avait attaqué magiquement.

—Raaaaaah! rugit une dernière fois Nordahl Rolfson lorsque deux Sottecks lui enfoncèrent une épée suivie d'une hache dans son dos.

—Enlevez-moi ça! Vite! Vite! se débattit Worthag en décollant de sa personne le bouclier viking toujours fumant.

Le shaman marqué comme un vulgaire animal de ferme se releva. La douleur à son ego était plus considérable que la marque qu'il portait maintenant au visage.

—Yob Urulg! Yob Toghat! Amenez-moi les deux jeunes chiens afin que j'invoque ma magie pour les interroger, ordonna le shaman en se relevant.

—Avec lequel des morts désires-tu t'entretenir, chef? demanda Urlug en pointant du bout de son arme tous les cadavres autour d'eux.

—Vous deviez en capturer deux vivants! Qu'est-ce que je vous ai dit? D'en garder au moins deux vivants! s'exaspéra le shaman.

—Mais c'est ce que nous avons fait! Il en reste encore quatre de l'autre côté, indiqua Toghat en pointant l'autre rive avec son énorme gourdin.

Tous se retournèrent en direction des silhouettes qui les observaient depuis la butte, de l'autre côté de la rivière Jokulsa.

Les futurs gardiens du groupe de Miriel regardaient la scène, impuissants. Marack était déjà en train de lever le campement lorsque les filles se baissèrent promptement.

Les ennemis, toujours debout, les enlignaient de face!

—Avec plus de préparation, est-ce que ta magie peut atteindre l'autre rive, Miriel? demanda nerveusement la magicienne.

Elles descendirent promptement vers le bivouac. La druidesse récupéra le Salkoïnas dans le matériel puis se concentra.

—Ce bâton de druide n'est pas harmonisé pour moi… Je ne suis pas encore assez puissante pour invoquer toute sa magie. Non, finalement, ils sont trop loin, se résigna Miriel

—Je pourrais peut-être les atteindre avec mes flèches! proposa Arafinway en bandant la corde de son arc avec une flèche déjà encochée.

—Non Ara, je ne suis pas certain que tu atteignes l'autre rivage, expliqua Marack. Garde tes flèches, elles vont nous servir plus tard, tu peux en être certain.

—Qu'est-ce que tu insinues, exactement, Marack? s'enquit Roxane soudainement inquiète.

—Il veut dire que nos ennemis ne vont certainement pas s'arrêter là, expliqua Miriel. Ils nous ont vus et nous ne sommes pas du bon côté de la rive pour aller nous réfugier à Hinrik. De plus, il faut absolument les prévenir qu'il y a des ennemis à moins de quatre jours de la forteresse.

—Ils vont nous traquer, ils ont l'avantage du terrain et du nombre sur nous, renchérit le guerrier.

—Ils ne pourront pas traverser la rivière ici, car le courant est trop fort, ajouta Arafinway. Ils vont vite comprendre qu'il faut traverser à gué[65], exactement à l'endroit où Nordahl nous a fait traverser…

Soudain, il pensa au radeau sur la rive. C'était sa tâche d'éclaireur d'effacer toutes les traces de leur passage.

—Alors, nous allons nous battre et vaincre cette horde d'envahisseurs hideux! déclara Roxane en bombant le torse.

---

[65] gué : endroit d'une rivière où le niveau de l'eau est assez bas pour qu'on puisse traverser à pied

—Non, je ne pense pas… Qu'en dis-tu Marack, quelle stratégie devrions-nous employer? demanda Miriel à son ami.

Roxane ne comprenait pas pourquoi l'attaque n'était pas une option.

—Lorsque nous avons une situation de combat possible, c'est le rôle du guerrier du groupe de prendre les décisions. Marack est le meilleur d'entre nous pour ça… Il va trouver une solution, tu vas voir! chuchota Arafinway à l'oreille de la magicienne.

—C'est un petit groupe, ils ne vont donc pas s'attaquer à la forteresse d'Hinrik, analysa le guerrier. Mais ils peuvent se terrer dans la région et faire des escarmouches meurtrières à l'aveuglette… Ils ont deux Yobs et un shaman, nous ne sommes pas de taille à nous battre contre ce groupe. Nous devons nous cacher et laisser passer quelques jours. Par la suite, nous pourrons retourner à Hinrik et aviser mon père ou un groupe de Gardiens du territoire, si nous en rencontrons sur notre chemin.

—Nous sauver sans rien faire? s'exclama Roxane.

Elle n'en revenait pas qu'ils abandonnent aussi facilement. Les autres étaient forts et ils ont perdu, certes, mais ils n'avaient pas une magicienne de son calibre avec eux! Marack la dévisagea.

—Oui, nous allons sauver notre vie en premier. Je propose de ramasser toute la nourriture et les armes dont nous pouvons nous servir pour tenter d'atteindre l'ermitage dans le massif. Nous devrions y être en sécurité. J'estime que nous avons environ trois heures d'avance avant qu'ils ne nous tombent dessus. C'est ma recommandation, Cheffe! conclut-il avec assurance en s'adressant à Miriel.

—Moi, je suggère de faire vite, car les ennemis sont en train de quitter les lieux… Et puis, aucun de nos amis n'a survécu, précisa l'éclaireur en étouffant un sanglot. Quel carnage!

—Combien en reste-t-il? demanda le guerrier à son ami elfe.

—J'ai vu deux Yobs, trois Sottecks, un Mourska et celui qui semble être leur chef, le Sotteck shaman que tu as identifié, Miriel. Ça, c'est sans compter les autres qui sont peut-être demeurés embusqués.

—Très bien, prenez ce que vous pouvez sans trop vous encombrer. Ara, je me fie sur toi pour brouiller nos pistes. Ils ne doivent pas pouvoir nous retrouver! ordonna la druidesse.

En grimpant la colline, le groupe de soldats du roi Arakher se dirigeait maintenant vers l'est.

—Pourquoi veux-tu que nous les rattrapions? Je les ai vus! Ils se sauvent en direction de la montagne, ils ne vont pas survivre de toute façon, prédit le Yob Urulg.

—Est-ce que tu vois des survivants parmi nos proies, ici? s'emporta le shaman.

—Non, nous n'avons laissé en vie aucun de ces chiens galeux. Même les deux enfants démons aux oreilles pointues qui ont pris une vague. Ils respiraient encore un peu après ton attaque magique... Tu sais, les deux archers.

—Quoi? Ils étaient encore vivants? s'étonna Worthag.

—Plus maintenant, je leur ai enfoncé la pointe de mon javelot en pleine poitrine. Je suis un expert dans l'art d'exterminer ces démons et leurs chiens, se vanta son compère Toghat. D'ailleurs, j'en ai gardé un petit bout pour ma collation…

Le shaman tenta de contenir son mécontentement envers son escouade. Malheureusement pour lui, il avait encore besoin d'eux. Il radoucit sa voix pour encore expliquer quelque chose à ces incorrigibles Yobs.

—Tu es peut-être un expert, mais ils ont quand même réussi à terrasser cinq des nôtres malgré votre grande vitesse dans les taillis, leur fit-il remarquer.

—Oui, mais ils ont tous payé de leur vie! sourit le Yob Toghat.

—Précisément, ils ont tous payé, ils sont tous morts! Ainsi, c'est la raison pour laquelle nous devons rattraper ceux qui se sont sauvés! Je le répète : je désire avoir des trophées vivants. Je veux les interroger avant de les ramener à Bishnak.

—Aahhh! Comment allons-nous faire pour les retracer, ils se dirigent vers la montagne. Notre pisteur a été aplati par le chien avec son marteau aux têtes de bélier! demanda le Yob Urulg.

—Justement, je l'ai fouillé celui-là, car il semblait être leur chef. Ce chien avait sur lui une carte. Si j'interprète ces gribouillis correctement, je sais exactement où nous allons cueillir la portée de chiots.

Le Yob se mit à rire.

—Et moi je sais où traverser la rivière à gué! s'exclama-t-il. Ce ne sera pas difficile à retrouver, il y a des billots attachés ensemble sur la rive pour en marquer l'endroit!

Au loin, très haut sur le flanc nord de la montagne, l'explosion ainsi que le carnage sur la berge de la rivière Jokulsa attirèrent l'attention d'un autre résident du massif. Confortablement installé sur un des escarpements rocheux, il se tenait à l'abri des regards indiscrets et avait observé toute la scène.

« Je ne me mêle jamais des affaires des hommes ou de leurs ennemis. C'est la loi naturelle des choses et ce n'est pas à ma race d'intervenir dans cette querelle. Même si ces hommes ne sont malheureusement que des enfants », songea la vieille âme en retournant dans sa caverne.

Le refuge

Les futurs gardiens avaient emporté le maximum de matériel qui ne les ralentirait pas dans leur course effrénée pour retrouver le fameux ermitage au pied de la montagne. Ils avançaient assez vite, mais devaient aussi faire des pauses pour donner la chance à leur éclaireur de se repérer dans cette vaste plaine accidentée et venteuse.

—Arafinway, es-tu certain que c'est par là? questionna Marack.

— Regarde ces pierres, expliqua nerveusement son ami elfique. Nordahl a dit que lorsqu'elles sont alignées de cette façon, cela signifie que nous sommes tout près,

En fait, le jeune éclaireur inexpérimenté souhaitait de tout son cœur qu'il ne se soit pas trompé.

— Ne t'en fais pas Ara, tu es le meilleur d'entre nous pour cette tâche, le rassura Miriel d'une voix réconfortante. Suis ton instinct et mène-nous jusqu'à cette cachette.

Pendant que l'éclaireur vérifiait de nouveau ses points de repère, Roxane s'avança doucement auprès de la druidesse.

— Va-t-il être en mesure de retrouver la piste de l'endroit où nous devons nous metre à l'abri? demanda la magicienne à voix basse, franchement peu convaincue.

— Je sais que tu n'es pas dans notre groupe depuis longtemps, mais je t'assure que chacun prend son rôle au sérieux et assume sa fonction avec conviction. Connaissance, respect et défi! Même si Arafinway est le plus jeune, il a des connaissances dans le pistage que je n'ai pas acquises. Alors je lui dois le respect de sa profession et il est de mon devoir de l'encourager à relever les défis qu'il rencontre, répondit Miriel.

— Mais ça, c'est le rôle d'une cheffe, répliqua Roxane en la regardant de biais.

— Exact. D'ailleurs, je tiens à te féliciter pour ton initiative d'action lorsque tu as tenté de prévenir le groupe d'Yrsa, ajouta la druidesse.

— Ne te moque pas de moi, je n'ai rien réussi du tout! grommela Roxane.

— Je ne me moque aucunement de toi. Même s'ils sont tous morts, tu leur as donné une

chance de se défendre… tu *nous* as donné une chance. Maintenant, les ennemis qui nous traquent sont moins nombreux. Tu as envoyé à nos compagnons un avertissement suffisant pour leur permettre d'en terrasser cinq. Au bout du compte, cela nous donne une meilleure chance de survie! Alors ne sois pas si dure avec toi-même! conclut la cheffe avant d'aller rejoindre Marack en avant de la colonne.

« Mon père serait tellement fier de moi! songea-t-elle en marchant plus vite. Je me suis retenue, je ne l'ai pas insultée et je l'ai même félicitée! J'ai dû prendre un coup de vieux en l'espace de quelques minutes! »

« Elle a raison, je nous ai presque tous sauvés! Ma magie a été la seule à pouvoir intervenir là où celle des druides n'y pouvait rien! Miriel, tu es cheffe aujourd'hui, mais demain, nous verrons bien! » murmura Roxane, satisfaite.

Soudain, Arafinway s'arrêta sur un monticule, tout près de taillis asséchés par le vent.

— C'est par ici, tout en bas, j'en suis certain! Les rochers sont disposés en forme de cornes de bélier et le museau indique la direction à prendre. Il fallait surtout regarder le tout dans son ensemble avec un certain recul, se réjouit l'éclaireur.

Roxane le rejoignit promptement.

— Bravo, mon cher Merfeuille! Montre-nous la route! l'encouragea-elle avec son sourire charmeur.

— Tu vois, Miriel, elle n'est pas si pire! Je dirais même qu'elle s'intègre bien au groupe, tu ne trouves pas? lança Marack avant de suivre les deux autres dans leur descente.

« Décidément, elle apprend vite comment mettre les gens de son côté, la magicienne! devrais-je m'en réjouir ou me méfier encore? se questionna Miriel en constatant qu'elle était encore la dernière.

— Hey! Attendez votre cheffe, vous allez trop vite! s'écria-t-elle en enjambant plusieurs grosses pierres pour rejoindre ses compagnons.

Après plus de six heures de marche rapide et d'escalade d'escarpements rocheux parsemés de neige glacée, le groupe arriva enfin. Il était temps, car le ciel se couvrait et la température devenait glaciale.

Le refuge des Gardiens du territoire était niché dans une large crevasse entre deux rochers et dans un angle qui la rendait presque invisible. L'éclaireur y entra le premier.

— Wow! C'est une grande grotte! s'exclama-t-il en jugeant les détails grâce à sa vision elfique.

Elle fait au moins 70 foulées de long par une trentaine de large. Un géant pourrait facilement s'y tenir! Je parie que Lassik et son clan de Géants des montagnes ont indiqué cet endroit à nos Gardiens. Nous pourrions aussi y abriter six fois notre groupe...

— On n'y voit pas grand-chose! fit remarquer Marack.

— *Rutilus lucis!* prononça la magicienne.

Aussitôt, une lumière scintillante émana des yeux du dragon de son bâton de mage artilleur et illumina une partie de la caverne.

— Est-ce que c'est mieux ainsi? demanda Roxane.

— Oui, beaucoup mieux, merci! répondit le guerrier.

Les futurs gardiens inspectèrent minutieusement l'endroit afin de découvrir ce qu'il pourrait renfermer d'utile pour les aider.

— Regardez là bas, cette pierre semble légèrement différente des autres, partagea Miriel.

— Je ne remarque rien de particulier, répliqua Roxane.

— Tout est dans les détails, ma chère. Il faut savoir quoi examiner! susurra la druidesse. Cette pierre n'est pas naturelle, car elle a été altérée par de la magie druidique. C'est une perception que nous avons, nous les druides, relativement à ce genre de dissemblances…

— Par chance que tu l'as perçue, j'arrive à peine à voir la différence! soupira Marack. C'est un large couvercle de pierre et sans doute l'endroit où devrait être entreposé le matériel de survie… du genre de celui que nous avons laissé en partie sur le bord de la rivière!

— Laissez-moi faire, je vais vous ouvrir ce coffre de pierre! annonça Roxane, courroucée de s'être fait dépasser sur ce point.

— Pulsus Minor!

— Il ne se passe rien, attesta Arafinway en jetant un regard vers la magicienne.

— Je n'ai utilisé qu'une petite poussée, se défendit Roxane. Attention, je vais y aller avec une plus puissante.

— *Pulsus Grandis!*

Dans un vacarme de poussière givrée, le couvercle glissa et tomba sur le sol. La cache était un peu plus profonde qu'une hauteur d'homme et longue comme un tombeau. Elle renfermait quelques provisions et des fourrures beaucoup plus chaudes que celles que les jeunes avaient apportées.

— Et voilà! Le tout accompli encore une fois grâce à ma magie! Cependant, je confirme que ce dépôt de provisions n'est pas très bien garni, constata Roxane avec dépit.

— C'était le but de notre corvée! précisa Miriel avec un peu d'impatience.

Marack se glissa dans la cachette pour inspecter son contenu. Rapide, il en retira quelques grosses bûches sèches et les balança sur le côté.

— Ara, en attendant, récupère le peu de branches qu'il y a dans la grotte, commanda Miriel. S'il y a des lances courtes, récupères-en le bois, car nous allons en avoir besoin. La nuit risque d'être franchement froide. Marack, va à l'entrée de la crevasse et fais le guet, juste au cas où!

— Je vais aussi me rendre utile, déclara Roxane en plaçant une fourrure supplémentaire sur ses épaules. Je vais faire le guet en compagnie de notre guerrier, deux paires d'yeux ne seront pas de trop. Cheffe, cela te laissera amplement le temps de préparer le campement!

Elle se dirigea lestement vers la sortie de la caverne.

« Décidément, elle a vraiment un don pour être déplaisante, songea Miriel en la regardant s'éloigner. Par chance, les magiciens n'ont pas tous cette attitude altière[66]! À bien y réfléchir, peut-être que oui, finalement… je me rappelle des histoires de mon père Arminas au sujet de leur ami Saint-Beren… il se peut que ce soit une constante chez les mages… » Elle soupira et entreprit la corvée du bivouac.

---

[66] altier : hautain, qui marque la hauteur, l'orgueil du noble

La druidesse choisit un emplacement dans une cavité de la paroi, un peu à l'écart et complètement dans le fond de la caverne. Elle empoigna ensuite le Salkoïnas qu'elle avait apporté et invoqua une petite formule toute simple.

— *Tenore Transfere Flamma!*

Une des buches du feu de camp construit par l'éclaireur s'embrasa aussitôt. La flamme était vive et elle dévorait le bois sec avec ardeur. Peu de temps après, une chaleur réconfortante envahit le racoin.

— Ara, peux-tu aller chercher nos amis, s'il te plaît? Je crois que nous sommes en sécurité maintenant et les flammes de notre feu ne sont pas visibles de l'extérieur de la caverne, certifia Miriel.

— Bien, Cheffe, j'y vais tout de suite!

L'attaque

Assis autour d'un petit feu réconfortant, tapis tout au fond de la grande caverne, les futurs gardiens finissaient leur repas frugal de fruits et de viande séchée. Ils vivaient l'angoisse amère d'être la cible de prédateurs, et chacun savait qu'il fallait récupérer le plus rapidement possible. De plus, les émotions de la journée avaient été suffisamment éprouvantes pour l'instant.

Marack avait estimé à environ cinq ou six heures leur avance sur eux.

— J'estime que nos poursuivants n'ont aucune façon de nous retrouver avant plusieurs jours, déclara-t-il dans un bâillement. Arafinway et moi avons soigneusement effacé nos traces à l'entrée. Maintenant que nous sommes dans ce refuge, le plan est de nous reposer, le temps qu'ils repartent ailleurs trop épuisés par une quête infructueuse…

— …ou dévorés par les loups de ces montagnes, conclut Miriel, tout de même pas très rassurée.

Ainsi, comme Roxane et Marack avaient déjà fait leur tour de garde la veille en bordure de la Jokulsa, ils se choisirent chacun un coin pas trop inégal sur le sol gelé pour dormir un peu. Le guerrier s'étendit tout habillé dans sa fourrure et se mit à ronfler.

La magicienne s'enroula dans sa cape et ses fourrures et ferma les yeux immédiatement. La terre dure était inconfortable, mais la fatigue semblait trop grande pour s'en plaindre.

Arafinway offrit de faire la première garde de la nuit et permit à Miriel de se reposer avant de prendre le second tour de sentinelle. Elle dormit mal, préoccupée par les jours d'attente à venir. « Aurons-nous assez de bois pour nous réchauffer? Et de nourriture? Pourrons-nous sortir chasser? Combien de temps faudra-t-il patienter ici? », songeait-elle entre deux cauchemars nerveux.

De temps en temps, elle ouvrait un œil et décochait un léger coup de Salkoïnas à son ours bruyant. En quelques secondes, le silence retombait dans la caverne, et l'éclaireur ne percevait plus que leurs respirations et le crépitement du petit feu.

Malgré la noirceur, les soldats du roi continuaient de poursuivre leurs proies d'un pas rapide. La nuit était bien avancée et le froid incommodait les troupes du shaman. Cependant, la promesse de trouver un endroit bien au chaud était suffisante pour les faire redoubler d'efforts.

— Les as-tu vus? demanda le shaman Worthag au Mourska qui revenait d'une tournée de reconnaissance.

— Pas besoin de les voir, on peut flairer l'odeur de leur feu à des lieues[67] à la ronde! Elle m'a mené jusqu'à eux, jusqu'à l'entrée de leur cachette, une immense crevasse dans la pierre. Tu avais raison, ta petite carte nous a donné suffisamment d'indices. C'est beaucoup plus facile lorsqu'on sait dans quelle partie de la montagne il faut concentrer ses recherches, avoua le nouveau pisteur du groupe.

— S'agit-il d'un endroit assez grand pour que nous puissions tous nous y réfugier? se renseigna le Yob Urulg qui avait les extrémités engourdies par le froid.

— Je crois que oui, je pouvais les entendre respirer. Cependant, l'embouchure de cette grotte est plutôt étroite, le Yob Toghat et toi allez pouvoir y pénétrer, mais disons… avec un peu plus d'efforts.

— *Grrr!* répondit la créature à la peau jaunâtre.

---

[67] lieue : distance que peut parcourir un homme à pied en une heure soit environ trois milles ou presque cinq kilomètres

— Alors nous allons entrer les premiers afin de nous assurer qu'il n'y aura pas de mauvaises surprises, précisa le shaman. J'ai d'ailleurs un sortilège tout à fait approprié pour nous permettre de ne pas nous faire entendre par ces démons et leurs chiens, déclara-t-il avec un petit rire diabolique.

Worthag invoqua sa magie puis fit signe de la main aux trois Sottecks et au seul Mourska vivant de le suivre dans la faille rocheuse.

La druidesse venait de remplacer son ami pour le second tour de garde depuis bientôt une heure maintenant. Elle regardait le feu tout en se remémorant les bons moments qu'elles avaient passés avec le groupe d'Yrsa. Elle n'arrivait toujours pas à se faire à l'idée que tous ces futurs gardiens avaient été terrassés sous leurs yeux.

Voyant que le feu diminuait d'intensité, Miriel étendit le bras et lança tout doucement un des petits rondins pour alimenter leur seule source de chaleur. La buchette fit s'élever une pluie de tisons rouges.

« Tiens, ça c'est bizarre, se dit-elle. Je n'entends plus le crépitement du feu… Même la buche que je viens de lancer n'a pas grésillé au contact des flammes… »

Elle leva les yeux et perçut de sa vision elfique la crevasse de l'entrée de la caverne.

Soudain, un, deux… trois Sottecks apparurent dans son champ de vision!

— Alarme! Debout! Nous sommes attaqués! hurla la druidesse en sautant sur ses pieds pour assurer une position défensive avec son Salkoïnas.

Mais aucun de ses amis ne réagit à l'alerte qu'elle venait de donner. Elle cria de nouveau, mais aucun son ne pouvait être entendu!

Elle voyait maintenant cinq intrus et la tête d'un Yob qui avançaient à tâtons vers eux.

« Malheur, nous sommes prisonniers d'une zone de silence! Et je ne sais pas comment briser un tel sortilège… réfléchit-elle rapidement.

Elle ramassa une poignée de petites pierres sur le sol et les expédia violemment sur le guerrier.

— Debout! Réveille-toi! hurla-t-elle en silence.

Rapidement, sans quitter des yeux les envahisseurs, elle contourna le feu, donna un premier coup de pied à son éclaireur et un coup de Salkoïnas à la magicienne. Ensuite, elle s'avança pour engager l'ennemi.

Les compagnons se réveillèrent en sursaut en se demandant ce qui pouvait bien se passer.

— Quoi? Heu? grogna le guerrier, mais aucune parole ne sortit de sa gorge. Je ne vois rien ni personne de dangereux…

La druidesse était plantée à une dizaine de foulées devant eux. Elle invoqua sa magie druidique. « Lönnar, je t'en prie, donne-moi la clairvoyance… », psalmodia[68]-t-elle à voix basse en gesticulant de sa main et en pointant son arme en leur direction.

Soudain, elle leur propulsa un fin nuage de particules de lumière scintillante de couleur ambrée. Dans une trainée d'étoiles, il atteint à toute vitesse les assaillants qui avaient déjà parcouru une vingtaine de foulées à l'intérieur de la caverne.

Aussitôt, les cinq créatures couvrirent leur visage avec leur bras ou leur bouclier et fermèrent les yeux pour se protéger de l'attaque magique.

Après quelques instants, comme rien ne s'était produit, ni étincelles ni explosion, ils relevèrent la tête pour découvrir qu'ils étaient tous scintillants… Les particules n'avaient aucun effet indésirable autre que de les rendre visibles! La stupeur les immobilisa plusieurs secondes.

Miriel avait misé sur cet effet de surprise pour gagner du temps. Surtout, puisqu'elle ne pouvait le crier, elle voulait indiquer la position des attaquants à ses compagnons. Les jeunes sautèrent immédiatement sur leurs armes.

Un nouvel adversaire tentait de se faufiler dans l'embouchure étroite de la grotte. Piétinant de rage, les six premiers envahisseurs l'attendaient afin de se ruer sur leurs proies.

---

[68] psalmodier : murmurer en prière

Marack fils de Marack, le guerrier viking, n'avait jamais combattu dans un environnement silencieux auparavant et détesta cette sensation particulière. Il était habitué à donner la charge en criant de toutes ses forces pour inspirer la peur chez l'adversaire. Or, il ne pouvait même pas communiquer ses ordres à ses coéquipiers!

L'ennemi était prêt à les vaincre, et Miriel avait déjà pris les devants dans cet assaut. Bouclier dans son dos, le guerrier brandit son marteau en le tenant à deux mains et alla se positionner devant sa cheffe pour la protéger.

Arafinway décocha immédiatement une première flèche, puis une seconde et une troisième sur le Yob scintillant de lumière ambrée.

Malheureusement, il toucha à peine un bras avec la première flèche, l'armure de la jambe fit rebondir la seconde et la dernière ne fit que l'égratigner. Finalement, il n'avait réussi qu'à faire enrager davantage sa cible…

L'énorme Yob le pointa du bout de sa gigantesque hache tranchante avec un rictus méchant. L'elfe comprit le message : il venait d'être sélectionné comme prochain casse-croûte!

Roxane n'avait pas encore acquis les réflexes de défensive de ses amis. En tant que magicienne entraînée à combattre à distance, cette situation de proximité la déroutait. Elle comprit un peu mieux le désir de son père de la voir apprendre le combat au corps à corps.

« Attention… ils foncent sur nous… Cette situation est des plus énervantes! », pensa-t-elle rapidement.

Elle fouilla frénétiquement dans son sac de voyage pour récupérer un projectile, n'importe quelle gemme, afin de profiter du peu de distance qu'il y avait encore entre elle et ses adversaires.

Elle fit la gestuelle, puis prononça la formule magique appropriée avant de placer la gemme dans son Rox. Reculant de quelques pas pour se donner un meilleur élan, elle s'empêtra dans sa longue cape et ses fourrures et bascula vers l'arrière.

Dans son déséquilibre, elle projeta la gemme. La pierre prit son envol avec un peu de hauteur puis redescendit rapidement pour rouler le reste du chemin jusqu'à une trentaine de foulées devant elle.

« Normalement, elle aurait du exploser… Que s'est-il passé? Pourquoi ma magie n'a-t-elle pas fonctionné? », se demanda la magicienne avec effroi.

Tout à coup, elle réalisa trop tard l'énorme bévue qu'elle venait de commettre. La gemme était activée seulement à moitié! Au lieu d'exploser au contact du sol, elle était maintenant armée comme une mine. La zone de silence avait empêché l'activation de la gemme par sa formule magique.

— *Ahhh!* En plus, la munition que j'ai employée par mégarde est encore un emprunt dans l'arsenal de mon père, paniqua Roxane. Pourvu que…

Brusquement, le Mourska la vit par terre et bifurqua son assaut vers la magicienne. En trois enjambées, il mit le pied sur la mine et déclencha instantanément une explosion fulgurante. Rien, aucun son.

La gemme éclata dans une déflagration de flammes vives. La lumière fut aveuglante. La vibration fut si intense que la terre trembla fortement sous leurs pieds et les fit perdre l'équilibre.

Soudain, sans avertissement, le plancher de la caverne céda dans un éboulis incontrôlable. Marack vit avec horreur ses amis se faire engloutir dans un cratère de pierre, de glace et de neige avant de s'enfoncer à son tour dans le tourbillon infernal.

— *Aaaahhh!!!!*

Le guerrier glissa et descendit avec les débris dans les entrailles de la montagne.

Après une longue descente douloureuse, il se réveilla à demi enseveli sous les vestiges de leur refuge.

Pendant combien de temps était-il demeuré inconscient? Il n'en avait aucune idée. Par chance, son bouclier solidement accroché dans son dos lui avait offert une protection

additionnelle. Il faisait un froid pénétrant, mais son armure de cuir souple et les fourrures le protégeaient un peu.

Il ressentait intensément chaque partie de son corps qui avait reçu un choc, mais la douleur était encore tolérable. Il ouvrit péniblement les yeux. Fait curieux, l'intérieur de cette nouvelle caverne de glace ne se trouvait pas entièrement dans la noirceur. Une faible luminosité lui permettait de voir les alentours immédiats de sa fâcheuse position.

Ne sachant pas si le sort de silence était toujours en action, Marack essaya discrètement un petit test.

— Miriel, Roxane, Ara! Où êtes-vous? demanda-t-il à voix basse.

Quelques gémissements le firent réagir presque immédiatement.

— Attendez, je vais vous sortir de là! les rassura le guerrier.

Prestement, il se mit à creuser avec ses mains. Ses doigts s'engourdirent rapidement et cela n'était certes pas assez efficace, surtout si ses amis étaient blessés. Il décrocha son bouclier et s'en servit comme une pelle. Il creusa avec vigueur et déplaça plusieurs blocs de glace et de pierre. Enfin, il aperçut un bout de la jambe de la druidesse.

— Attends Miriel, je vais t'aider! Lui dit-il en la dégageant complètement.

— Aïe! Aïe! Fais attention, je crois que j'ai le bras cassé, se plaignit la jeune elfe.

— Hmmmm!

Ils entendirent des gémissements puis des coups frappés non loin. *Toc! Toc!| Toc!*

— Il y a quelqu'un là, derrière, s'écria Miriel. Ce sont peut-être nos amis!

— Mais ce sont d'énormes blocs de pierre, je ne suis pas assez fort pour soulever tout ça sans risquer de les écraser, s'alarma le guerrier.

— Je vais tenter quelque chose, proposa-t-elle.

La druidesse analysa rapidement l'empilage des amas de pierres puis invoqua son dieu. Elle se plaça face au gigantesque rocher, le bras gauche tendu vers sa cible tandis qu'elle effectuait des roulements de sa main droite. Elle utilisait sa magie druidique pour creuser la pierre comme s'il s'agissait de glaise.

— Qu'est-ce que tu fais? se renseigna Marack.

— Je n'ai pas besoin de creuser partout, juste au bon endroit sans affaiblir chacun des côtés de ce rocher, expliqua-t-elle en grimaçant à chaque mouvement. Arrête de me poser des questions. Je ne sais pas combien de temps je vais pouvoir maintenir ma concentration, mon bras me fait affreusement souffrir.

Ses doigts gelés avaient de la difficulté à se replier. Elle souffla dessus en psalmodiant et aussitôt, une mince aura de chaleur envahit ses

mains. Cela ne durerait pas longtemps et elle le savait. Il fallait donc faire vite!

Miriel réussit à creuser un trou tout juste assez grand pour laisser passer un humain. Après tout, ils n'avaient aucune idée de qui ou quoi les attendait de l'autre côté…

Soudain, une tête noire apparut dans le trou! Marack se prépara à frapper l'intrus qui allait surgir. Sans crier gare, Arafinway s'extirpa prestement de sa prison de pierre.

— Merci les amis! Moi, je n'ai rien, indiqua-t-il, soulagé. Mais Roxane ne va pas bien du tout.

L'éclaireur leur sourit et ses dents blanches contrastèrent avec son corps. Il était tout noir de la tête aux pieds! L'explosion de la boule de feu avec ses flammes fuligineuses[69] l'avait entièrement recouvert de suie.

— Tu as de vilaines brûlures sur les bras, constata Miriel. Par chance, ton armure semble avoir absorbé la plus grande partie de cette explosion.

— C'est la neige qui m'a recouvert par la suite, cela m'a sans doute sauvé la vie! expliqua l'elfe.

— Ara, aide-moi à sortir Roxane, veux-tu? s'impatienta Marack.

L'elfe se glissa de nouveau dans le trou et fit glisser la magicienne vers l'extérieur.

---

[69] fulmigineux : rempli de fumée

— Je n'arrive pas à marcher, ma cheville me fait terriblement souffrir, se plaignit-elle.

La druidesse s'approcha et tâta sommairement la blessure de sa compagne.

— Eh bien! ma chère amie, au mieux, c'est une mauvaise entorse. Dans le cas contraire, il s'agit d'une cassure. Ta cheville est bien trop enflée pour en être certaine, aussi, la meilleure chose pour l'instant est que tu gardes ta botte. Elle maintient tout en place : c'est encore mieux qu'un bandage, indiqua-t-elle.

— Nous avons réussi à survivre! annonça Arafinway en regardant le bon côté des choses pour faire sourire ses amis de la bonne fortune qu'ils avaient malgré tout. Nous sommes certainement dans les grâces de Lönnar et de Tyr. Il faut croire que ce combat n'était pas encore celui qui aurait raison de nous!

— Maintenant que nous sommes tous de nouveau réunis, quelqu'un peut m'expliquer ce qui s'est passé dans la caverne? fulmina Miriel en dévisageant la magicienne avec un sentiment de déjà-vu.

— Pourquoi me fixes-tu ainsi? se défendit Roxane.

— Cette explosion! C'est ton genre de magie, vient-elle de toi, cette catastrophe? insinua Miriel.

— Oui… et non! Je suis celle qu'il l'a employée, mais elle ne vient pas de moi, rouspéta la magicienne. Cette gemme a été enchantée par la magie de mon père, ce qui explique son incommensurable puissance de feu.

Elle geignit en se tenant la cheville à deux mains.

— Pourquoi as-tu employé cette magie dans un espace aussi restreint? questionna la druidesse en colère. Tu devais bien te douter que tu pouvais tout faire s'écrouler sur nos têtes!

— Je n'ai pas fait exprès, nous étions un peu à l'étroit c'est vrai, mais avec toutes ces affreuses créatures qui nous attaquaient, j'ai par mégarde utilisé la mauvaise munition, murmura Roxane.

— Tu aurais pu tous nous tuer! Tu as manqué de jugement et ta décision était carrément téméraire! en conclut Miriel, vraiment fâchée.

— Mais nous sommes toujours vivants et cela grâce à MA magie! répliqua Roxane en soutenant le regard de sa cheffe.

Miriel poussa un grand soupir, recula de quelques pas et tenta de contrôler l'ire[70] qui la faisait trembler.

— Elle… Elle me fait suer! jura-t-elle en employant toute la maîtrise de soi qui lui était possible d'exercer.

---

[70] ire : colère

Brusquement, Miriel se retourna pour porter son attention sur les blessures de son éclaireur. Elle fouilla dans son escarcelle et en retira un petit pot de métal.

— Marack, je t'en prie, aide Ara en l'enduisant de cette pommade, elle devrait l'aider à guérir ses quelques brûlures les plus vives.

— Oui, Cheffe! s'exécuta le guerrier.

Puis, elle s'approcha de la magicienne à nouveau.

— Roxane, lève-toi, s'il te plaît, j'aimerais voir si tu peux appliquer un peu de poids sur ta jambe, demanda Miriel en retrouvant un ton à peu près calme.

— Tu crois qu'elle va l'épiloguer comme elle le fait souvent avec toi et moi? chuchota Arafinway au guerrier.

— Je ne sais pas, je préfère les observer de loin et faire ce qu'elle m'a demandé plutôt que de prendre part à leur conflit, rétorqua son ami à voix basse. Cela vaut mieux pour nous deux, d'ailleurs!

— Heu! Ouille! Aïe! Elle doit être cassée, je n'arrive même pas à me tenir debout, protesta Roxane. Il faudra que vous me portiez sur un brancard.

— Laisse-moi examiner à nouveau ta cheville, maintenant que tu es levée, demanda la druidesse d'une voix douce qui cachait mal son impatience.

Un peu craintive, Roxane accepta à contrecoeur l'aide de Miriel. À cet instant, elle s'aperçut que le bras de la jeune elfe la faisait vraiment souffrir et que cela l'empêchait d'accomplir correctement son examen. Roxane se mordit la lèvre. L'aurait-elle mal jugée?

— Oui, je crois que tu as raison, elle est peut-être cassée, lui dit la druidesse.

Elle plongea de nouveau sa main dans son escarcelle et en ressortit le petit coffret de bois de son oncle Lassik.

— Tiens, prends le contenu de cette fiole bleue. Elle ne va pas consolider entièrement tes os, mais elle devrait agir suffisamment pour te permettre de marcher, expliqua Miriel.

— Toi aussi, ton bras te fait mal. Pourquoi tu ne l'as pas pris pour toi-même? questionna-t-elle ensuite.

— Parce que j'ai besoin de toi sur tes deux pieds. Si nous avons survécu à cette chute, il est fort probable que nos ennemis soient aussi en vie. Oui, j'ai le bras cassé et cela m'empêche en partie d'invoquer ma magie druidique. Mais il est plus important que nous nous déplacions rapidement. Alors prends-le tout de suite, c'est un ordre! dicta la cheffe.

La magicienne saisit la potion et l'avala d'un trait.

— Ara, si tu te sens assez bien, j'aimerais que tu inspectes rapidement les alentours, reprit la druidesse. Marack, je vais te demander d'être aux aguets, car j'ai encore quelques préparatifs à accomplir avant que nous puissions nous mettre en route et tenter de trouver une sortie à ce glacial endroit.

— Ne t'inquiète pas, je suis déjà en mode sentinelle depuis fort longtemps. Je ne désire pas me faire prendre par surprise une seconde fois, certifia le guerrier.

La druidesse sortit de son sac en bandoulière un mouchoir de lin contenant du cassis et des noix. Elle en tendit une poignée à Roxane.

— Place tes mains en forme de bol et mange. Le mélange des deux devrait faire désenfler ta cheville, expliqua la druidesse.

Miriel en avala une poignée à son tour, en espérant que cela aide également son bras et surtout que cela fasse disparaitre ce mal de tête… Elle frotta la bosse douloureuse cachée sous sa tignasse de cheveux.

— Cheffe, j'ai une bonne et une mauvaise nouvelles! déclara l'éclaireur de retour de sa courte mission.

— Je t'écoute, commence par la bonne nouvelle!

— À une centaine de foulées dans cette direction, un immense bloc de glace a perforé la paroi de notre caverne. J'ai pu y découvrir un corridor.

— Tu veux dire sur une autre grotte? questionna Marack, fort curieux.

— Non, j'ai bien dit un *corridor* entièrement composé de glace. De plus, fait assez particulier, il est parfaitement lisse et a été construit de façon non naturelle, décrivit l'éclaireur.

— Et c'est supposé être une bonne nouvelle? se renseigna Roxane à voix basse.

— Mais oui, car la mauvaise est que j'ai retrouvé mon arc fracassé en deux. Je vais le rafistoler du mieux que je peux. Seulement, je ne suis pas certain qu'il fonctionnera comme avant, s'inquiéta l'elfe.

Miriel lui sourit malgré sa douleur.

— Si ce n'est que cela ta mauvaise nouvelle, tu peux m'en annoncer d'autres du même ordre en tout temps! lui lança-t-elle.

— Ah! oui, j'ai également trouvé ces deux bâtons! Ils sont juste derrière vous, mesdemoiselles! indiqua Arafinway en pointant le Salkoïnas de Miriel et le bâton d'artilleur de Roxane.

Les deux filles se retournèrent et le remercièrent en même temps.

La druidesse se tourna ensuite vers son guerrier. Son front et sa joue étaient bleus d'ecchymoses. Le reste du corps devait certainement en être couvert. Jamais son ami ne se serait plaint de la douleur. Il était coriace, mais surtout assez orgueilleux, une combinaison que Miriel aimait taquiner chaque fois que l'occasion se présentait.

Cependant, aujourd'hui, elle le regarda dans les yeux avec compassion.

— Oui, ma recommandation est d'emprunter le tunnel. N'est-ce pas ce que tu allais me demander? Peut-être allons-nous y trouver de l'aide? De toute façon, si l'on ne bouge pas très vite, c'est le froid qui va avoir raison de nous sous peu, raisonna Marack.

— C'est bien ce que je pensais, je voulais avoir ton point de vue sur la situation, confirma Miriel.

— Je prends les devants! bondit l'elfe en encochant une flèche sur son arc de fortune.

Les futurs gardiens enjambèrent avec difficulté les amoncellements de débris et se rendirent enfin jusqu'à la cavité dans la paroi de la caverne.

— Formation de marche! ordonna la cheffe.

L'éclaireur passa devant, suivi du guerrier, de la druidesse et la magicienne artilleur ferma le groupe.

Avec prudence et aux aguets, les quatre compagnons se faufilèrent silencieusement dans la mystérieuse galerie de glace.

Le maître des lieux

Sous un amas de pierres et de glace, complètement à l'opposé de la position du groupe des futurs gardiens, les soldats du roi Arakher reprenaient peu à peu leurs sens.

— Sotteck, enlève ton gros derrière de ma poitrine ou je te bascule comme un vulgaire moucheron, grogna le Yob en culbutant une grosse pierre en même temps que son compagnon.

En peu de temps et grâce à la grande force naturelle des Yobs, l'escadron de chasse de Worthag réussit à s'extraire de sa prison de débris.

— Shaman, je vous avise qu'un soldat sottèque et le dernier Mourska n'ont par survécu à l'explosion ou à la chute. De toute façon, leur mort n'a pas d'importance, c'étaient deux nigauds, précisa le Yob Urulg.

Worthag leva les yeux pour constater que le tunnel abrupt par lequel ils avaient atterri ne serait pas leur voie de sortie.

— Nous allons explorer cette immense caverne, déclara-t-il de mauvaise humeur. Ces jeunes démons et leurs chiens ne doivent pas être très loin s'ils ont survécu à cette chute. J'aimerais bien qu'il en reste au moins un de vivant. Cela nous éviterait de nous enfoncer encore plus profondément dans le territoire ennemi.

— Alors en route. Cette caverne semble démesurée et j'aimerais bien ne pas mourir enseveli dans un tombeau de glace, enchaîna le Yob Toghat.

Avec une prudence mêlée d'angoisse, les futurs gardiens pénétrèrent dans l'étrange couloir. La druidesse avait attaché son bras en attelle afin qu'il bouge le moins possible. Chaque heurt la faisait souffrir, même si elle avait appliqué de nouveau sur son bras sa pommade à base de saindoux et d'arnica, une fleur jaune soleil qui poussait librement sur sa montagne à Feygor.

La cheville de Roxane tenait le coup, mais ils avançaient assez lentement. Le guerrier jetait souvent des regards nerveux vers l'arrière en souhaitant ne jamais revoir la tête de leurs poursuivants.

Ils avaient à peine fait quelques pas que la magicienne brisa immédiatement le silence. Sous leurs yeux, de superbes fresques multicolores garnissaient les murs des deux côtés.

— De la magie! Je n'arrive pas à y croire! Regardez, ce sont des fresques sculptées et colorées avec des pigments de couleur magique, s'émerveilla la magicienne.

— Bon et bien, on peut dire adieu à l'effet de surprise! soupira Marack en lui jetant un regard lourd de reproches.

Il regretta de ne pas avoir été plus clair dans ses consignes pour entrer clandestinement dans un endroit interdit, du genre garder la ligne en silence…

— C'est vraiment de la magie? demanda Miriel, vivement intrigue en glissant ses doigt sur le mur.

— Tu ne le ressens pas? Regarde, ces pigments de couleur ne fondent pas. La teinte demeure précisément à l'endroit où l'artiste l'a déposée. Pas de dégradation, une sculpture des plus précises et un coup de pinceau de maître, s'extasia encore Roxane.

— Surtout, ne vous en faites pas, Arafinway et moi, on assure sans problème! grommela l'ours. Vous pouvez continuer votre petite conversation aussi longtemps que vous le voulez, aucune presse, rien d'autre à faire aujourd'hui, surenchérit-il de plus en plus courroucé.

— Quoi? Tu veux qu'elles continuent à discuter? Mais c'est dangereux, on ne sait même pas si les occupants de ce domaine de glace sont tout près ou non, questionna l'éclaireur à voix basse.

— Mais non, je ne veux pas qu'elles continuent à jacasser! C'était un commentaire sarcastique, Ara. J'aurais préféré le silence, mais voilà, c'est plutôt fichu comme enquête furtive. Comprends-tu? précisa le guerrier.

— Oui, il comprend très bien, Marack, et moi aussi. Roxane n'est pas encore au fait de toutes nos stratégies. J'ai tellement un gros mal de tête que j'arrive à peine à distinguer la magie présente dans ces sculptures murales. Roxane nous a donné un indice sur les propriétaires de ce domaine, ils ont des habiletés surnaturelles. C'est plutôt une information importante, tu ne trouves pas? fit noter la druidesse à son ours grognon.

— C'est bon, c'est bon! J'ai compris, est-ce qu'on peut poursuivre notre exploration maintenant que nous savons qu'il y a possiblement d'autres magiciens dans cette glaciale galerie d'art? s'offusqua Marack en étouffant un juron.

— La connaissance n'est-elle pas une arme formidable dans les mains de celui qui sait s'en servir? répliqua Miriel à voix basse.

— Là, elle t'a eu mon vieux! Elle vient de te citer mot pour mot ce que ton père te répète tout le temps! s'esclaffa l'éclaireur.

Devant l'air sérieux de son ami, il prit quelques pas de distance du guerrier musclé, au cas où il n'aurait pas envie d'en rire.

— Avançons avant que je fasse un tout autre style de sculpture! s'impatienta Marack.

— Tout doux l'ours! Tu vas nous faire repérer avec tes grognements, sourit Miriel en lui faisant signe de passer en avant avec l'éclaireur.

À peine cent pas plus loin, Arafinway s'arrêta et regarda sa cheffe.

— Miriel, tu ne trouves pas que ces couloirs sont quelque peu… démesurés? On dirait qu'il s'agit d'un domaine de géants! se hasarda l'éclaireur.

— Des géants? Comme ce Lassik à Hinrik? demanda Roxane qui clopinait à l'arrière du groupe.

— C'est exactement ça, des géants. Je croyais que vous aviez saisi l'importance de ce détail lorsque vous avez pris le temps d'inspecter les murailles sculptées! grommela Marack. Elles sont beaucoup trop grandes pour avoir été faites par des hommes de notre taille. Ces corridors peuvent accommoder au moins quatre largeurs de géant.

— Mais s'ils sont comme votre ambassadeur des Géants des montagnes, alors ils vont pouvoir nous aider! se réjouit Roxane.

— C'est précisément là le problème. Il n'y a pas que des Géants des montagnes *amis* dans les massifs d'Orgelmir. Il y a plusieurs clans, et certains d'entre eux ne sont pas exactement en bonne relation avec l'ambassadeur qui est hébergé dans la ville d'Hinrik, expliqua Miriel à voix basse.

— Alors nous devrions rebrousser chemin! C'est trop dangereux! exigea la magicienne.

— Il est bien trop tard pour cela! La meilleure chose à faire est de continuer d'avancer et d'espérer, murmura le guerrier.

Le corridor déboucha enfin sur une large pièce remplie de statues de pierre de toutes sortes insérées dans des alcôves de glace. Des humanoïdes y étaient représentés, mais aussi des créatures bizarres que les futurs gardiens n'arrivaient même pas à identifier.

— Il y a deux gigantesques portes de bois d'ébène dans la pièce, espacées d'une vingtaine de foulées. L'une est fermée tandis que la seconde est grande ouverte, informa l'éclaireur qui avait déjà inspecté les deux options.

Miriel fit un signe de la tête : ils allaient emprunter le passage déjà ouvert. Ils le

franchirent en catimini pour se retrouver devant un carrefour offrant plusieurs possibilités.

— Cheffe, chuchota Arafinway, j'entends des petits coups de marteau sur quelque chose de métallique. Cela provient de cette direction.

L'éclaireur pointa avec sa flèche encochée le couloir sur sa gauche.

Le groupe s'avança doucement afin de découvrir la source du bruit.

Ils empruntèrent le premier corridor, puis un second, et encore un autre sur la droite jusqu'à un nouveau croisement.

— Satanés carrefours... jura Marack en marmonnant. Comment ferons-nous pour nous retrouver au retour?

Brusquement, le groupe de futurs gardiens s'immobilisa à une dizaine de foulées d'un immense portail de glace finement cisaillé. C'était l'entrée d'une pièce sans porte.

— Les bruits proviennent de... là! leur signala l'éclaireur en s'avançant seul et prudemment à croupetons[71].

Arafinway s'étira le cou et observa discrètement le responsable du martellement constant qui les avait menés jusque là.

---

[71] à croupetons : dans une position accroupie

— Ne reste pas là comme une souris vicieuse guettant la moindre miette qui pourrait tomber! grommela l'artiste d'une voix rauque qui résonna en écho dans la vaste salle.

L'elfe figea de terreur. Devant lui, un étrange Géant des glaces ne s'était même pas retourné pour percevoir sa présence. Haut comme deux hauteurs d'homme comme Lassik, il avait la peau presque translucide et l'apparence de ses veines lui donnait un aspect bleuté. Il portait une large cape en fourrure blanche qui laissait paraitre ses énormes orteils bleus.

— Qu'est-ce que vous faites dans mon palais? tonitrua le géant sans délaisser pour autant sa sculpture qu'il continuait de ciseler.

Considérant qu'il était ridicule de demeurer cachés, Arafinway fit signe au reste de son groupe de venir le rejoindre. Les quatre compagnons se retrouvèrent dans une immense chambre circulaire d'une centaine de foulées de diamètre. L'embouchure d'un second tunnel était à l'opposé de celui par lequel ils venaient d'entrer.

— Un Géant bleu! s'écria Roxane.

— Eh oui, je suis bleu et ton ami, là, est un elfe noir ou plutôt un elfe vraiment sale! Nous sommes nombreux à être différents des autres, qu'avez-vous contre cela, jeune insolente? répliqua l'artiste en tournant sa tête chauve vers eux.

Son visage ne semblait pas particulièrement sympathique et ses yeux bleus limpides les dévisageaient.

— Nous nous sommes perdus, avança Arafinway d'une voix timide.

— Pourtant, vous avez réussi à trouver ma demeure. Moi qui croyais être à l'abri de toute distraction dans cet antre. C'est plutôt inopportun de votre part!

— Nous sommes des... commença le guerrier pour se défendre.

— Je n'aime pas les surprises et surtout pas les visiteurs! gronda le géant en lui coupant la parole.

— Je m'excuse, mais c'est la première fois que nous rencontrons un géant à la peau bleue. Alors côté surprise, nous sommes deux, répliqua prestement Marack pour éviter de se faire taire une seconde fois.

Miriel lui envoya un coup de Salkoïnas dans les jambes. Son guerrier était presque effronté!

— Arrrrg! vociféra le géant. Oui, ceux de ma race existent et même si nous ne sommes pas nombreux, notre trait de caractère dominant est le gout de vivre en solitaire. Alors, allez, ouste! Hors de mon antre!

Arafinway s'avança d'un nouveau pas et se risqua à détendre l'atmosphère. Ils n'iraient pas loin s'il fallait que ce titan se fâche après eux…

— Mon nom est Arafinway, déclara-t-il de sa voix légère. Voici mon ami Marack fils de Marack, Roxane et Miriel. Et vous êtes…

— J'ai pas de nom à te donner, ce sera plus facile comme ça puisque vous partez sur-le-champ. De cette façon, les malaises seront entretenus, il n'y aura pas de larmoiement et vous vous ferez une joie de me laisser dans ma solitude. Est-ce que tu saisis bien le message, jeunot noir? Je n'ai certes pas envie d'avoir des amis!

Miriel cherchait désespérément une façon d'amadouer le colosse. Doucement, elle s'approcha d'une des alcôves.

— Est-ce vous qui avez fait toutes ces merveilleuses sculptures de glace et de pierre? demanda-t-elle avec une infinie politesse.

Le géant ne broncha pas.

— Êtes-vous également le peintre qui a réussi à appliquer une pigmentation magique sur de la glace afin de donner de la couleur à un canevas blanc? renchérit Roxane qui avait compris l'astuce.

L'attention du géant se tourna vers les demoiselles.

— Oui, c'est moi! Quoi, vous les aimez… vraiment? s'enquit l'artiste avec un peu plus de finesse.

Les deux filles hochèrent la tête en signe d'approbation et d'admiration.

— D'accord. Vous deux, les fillettes, vous pouvez rester, déclara-t-il. Les deux autres, vous foutez le camp par là, tout de suite! Et ne parlez pas de ce que vous avez vu ici, *jamais*! Me suis-je fait bien comprendre?

Il pointa Marack et Arafinway de son gros doigt à l'ongle recourbé et affilé.

— Il n'est pas question que nous partions sans nos deux amies, se hérissa le guerrier en resserrant sa main sur le marteau de Lönnar.

— C'est vrai, et nous ne les laisserons pas partir sans nous, acquiesça Miriel.

Le géant jaugea le jeune guerrier quelques instants. Ne voyant aucune réelle menace de ce petit bout d'homme, il déclara sur un ton ferme :

— Alors soit. Restez dans un coin et taisez-vous. J'ai à discuter avec ces deux charmantes demoiselles. Cependant, vous allez me promettre que lorsque vous quitterez ma demeure, vous ne direz rien de ma présence. S'il fallait que cela se sache encore, c'est un essaim de curieux qui va s'amasser à ma porte pour me déranger. De plus, je n'aurai pas à chercher loin pour savoir qui les a renseignés!

Il détourna ensuite son attention vers ses deux nouvelles admiratrices.

— J'y suis presque, comprenez-vous? Cela fait plusieurs centaines d'années que j'y travaille. Il ne me reste qu'à appliquer la touche finale pour terminer ma plus récente et magistrale création. Je l'ai nommée *Nature sylvestre!*

Le géant fit signe aux filles de s'approcher pour contempler son œuvre.

— Wow… s'exclamèrent-elles en même temps.

Même les garçons étaient bouche bée.

La sculpture était plantée au beau milieu de la pièce circulaire et représentait un impressionnant sapin mesurant environ deux hauteurs de géants. Elle était composée entièrement de glace scintillante sous la lumière!

Dans une vague d'émotion, Marack revit intensément un vieux souvenir de sa jeunesse. Ce sapin lui fit penser à leur sapin de Yule, fête viking célébrant le solstice d'hiver, dans sa Scandinavie natale, sur l'Ancien Continent. Il pensa à sa mère qui avait disparu depuis si longtemps.

Les visiteuses furent estomaquées devant tant de beauté. La qualité des détails dans chacune de ses branches était incomparable. Partout où elles posaient les yeux, elles découvraient un nouvel habitant de la forêt, finement ciselé comme de la dentelle.

« Voilà un chef-d'œuvre que bien des druides voudraient contempler durant des heures et des heures », songea Miriel. Mais, elle se tut,

attristée de ne pas pouvoir partager cette merveilleuse trouvaille.

— Comme ça, jeune elfe au bâton à tête de bélier, tu trouves que j'ai un fabuleux talent pour la sculpture? Et toi, la petite blonde au bâton à tête de dragon, tu as remarqué ma technique de pinceau, savamment employée pour donner vie à mes sculptures? demanda encore le géant, absolument ravi d'être enfin reconnu pour ses nombreux talents.

Miriel avait pris une chance en adoptant une approche prônant la flatterie. En réalité, il s'agissait de la même approche qu'elle utilisait pour obtenir tout ce qu'elle voulait de son parrain, le maître magicien et grand prêtre, Saint-Beren.

Lorsque le sujet tournait autour de ce qui l'intéressait le plus, l'attitude ainsi que les manières étaient tout autres. La druidesse avait espéré qu'un artiste ressemblait à un magicien et qu'un magicien voyait son art comme un artiste.

Quant à Roxane, elle avait un véritable intérêt pour cette mystérieuse pigmentation magique.

— Alors, c'est décidé. Je vous garde tous les quatre pour toujours avec moi, ici, dans ma caverne, déclara enfin le géant très satisfait. Assoyez-vous là et encouragez l'artiste, pendant que je reprends mon ciseau de sculpteur!

Combat glacial

Les quatre amis se regardèrent, estomaqués. Miriel fit un petit signe pour leur dire d'être patients, cette situation ne pouvait durer éternellement. Du moins, elle le souhaita de toutes ses forces.

Ils se regroupèrent et s'assirent sur leurs capes pour le regarder sculpter en silence. Le géant travaillait tranquillement en sifflotant. Il faisait le tour de son sapin au milieu de la pièce et ajoutait un petit détail, une dentelle, çà et là. Le temps passa. Marack regarda de nouveau Miriel qui haussa encore les épaules.

Soudain, le maître des lieux se retourna dans une subite colère. Ses traits étaient crispés et il les fusilla du regard.

— Vous m'avez menti, bande de scélérats! Tout ceci n'était qu'un subterfuge pour détourner mon attention! Vous n'êtes que de traitres usurpateurs! vociféra-t-il de sa voix rauque.

Les futurs gardiens sautèrent sur leurs pieds, franchement surpris par le brusque changement d'attitude.

— Je vous ai dit que je n'aimais pas les surprises et encore moins les visiteurs! hurla-t-il en les menaçant de son ciseau à glace.

À ce moment, cinq intrus apparurent sous l'arche d'entrée de la grande pièce circulaire : trois Sottecks et deux Yobs.

Voyant le Géant bleu, Worthag retint de justesse son ordre d'assaut contre les démons et leurs chiens.

— Toi, le géant bizarre! Au nom du roi des Géants de pierre, Sa Majesté Arakher, aide-nous à attraper ces quatre gringalets, et ton nom sera mentionné dans notre rapport. Désobéis, et je ne garantis pas ta survie, ordonna le shaman dans la langue des géants.

— Ils vous veulent comme otages? Ne sont-ils pas avec vous? s'informa le géant auprès des deux filles.

— Non, ils ont même terrassé plusieurs de nos amis, répondit vivement la druidesse sur la défensive.

Le Géant bleu se retourna vers les nouveaux visiteurs et leur répondit dans la langue des géants.

— Normalement, je ne me mêle pas des affaires des autres créatures. Mais vous êtes dans ma

demeure et vous menacez mes invités, sous mon toit. Le roi Arakher n'a aucune autorité sur mon territoire et je ne lui dois aucune allégeance. Vous allez donc quitter mon palais et oublier l'idée de vous en prendre à ces jeunes créatures, tonna le géant en s'avançant d'un pas devant les jeunes.

— Si tu n'es pas un allié, alors tu es notre ennemi. Nous sommes cinq contre toi et je suis un shaman! insista Worthag. Rends-les-nous, ce sont nos proies, voleur!

Dans un geste vif, le géant lança son petit marteau de sculpteur au visage de l'un des soldats. Sous l'impact fulgurant, le bougre de Sotteck recula d'une dizaine de pas avant de s'effondrer sur le sol.

— Maintenant, c'est nous qui sommes cinq! Battez-vous pour vos vies, les jeunes! Mais surtout, faites attention à ma sculpture, précisa le géant.

Le Yob Urulg s'élança sur le géant tandis que le Yob Toghat se dirigea vers Marack.

Le dernier soldat sottèque, troublé et fortement impressionné par le ciseau de sculpteur, décida qu'il n'avait pas l'intention de se battre contre ce Géant des glaces. De toute façon, le shaman Worthag avait déjà choisi sa prise : la démone avec le bâton à tête de bélier.

Il opta plutôt pour la capture de la jeune aux cheveux de soleil vêtue de mauve. Il marcha

d'un air confiant vers la magicienne. Ce serait facile, car elle s'appuyait sur son bâton d'artilleur pour garder son équilibre.

Marack se prépara à recevoir la charge du Yob qui fonçait sur lui. Le géant avait déjà pris les devants en engageant le second Yob. Le shaman se dirigeait vers Arafinway et Miriel qui avaient pris position côte à côte.

L'éclaireur décocha rapidement sa première flèche en tentant de viser les nombreuses cibles mouvantes. Par chance, elle se logea dans la cuisse de l'attaquant de Roxane. Cependant, comme la tension de son arc de fortune n'était pas très puissante, la flèche piqua en surface la chair du Sotteck, puis retomba en cliquetant sur le sol. La blessure était superficielle et l'ennemi avançait toujours sur sa sœur d'armes.

Nerveusement, Arafinway ajouta un peu plus de tension sur son arc et décocha sa seconde flèche sur le shaman. Elle fila et s'enfonça enfin avec force… dans le gourdin clouté de son adversaire.

— Décidément mon petit Ara, tu as intérêt à t'exercer côté précision! marmonna l'elfe avant de sortir sa dague et de se placer en position d'attaque devant Miriel.

Roxane, de son côté, ne voulait ni ne pouvait employer sa magie d'artilleur dans un endroit aussi dangereusement fragile. Elle avait bien vu comment sa puissance de feu pouvait devenir destructrice. Elle ne voulait surtout pas faire s'écrouler la caverne sur tout le monde et risquer

d'endommager les sculptures du sympathique Géant bleu. Elle réfléchissait vite pour trouver une autre défensive.

Devant elle, à peine incommodé par la piqûre reçue du démon à l'arc, le Sotteck voyait avec plaisir que sa proie était blessée.

— Allez la petite! Rends-toi, tu vas voir, on va bien prendre soin de toi! se moqua-t-il en baissant un peu sa garde pour attraper la magicienne par le bras.

Roxane ne comprenait rien au dialecte de son adversaire. Elle sentit avec horreur la grosse main noueuse et griffue se resserrer sur sa manche. Au même instant, elle lança son attaque en le touchant.

— *Esse Caecus!*

— Aaaaah! Qu'est-ce que tu m'as fait, diablesse! hurla son assaillant en faisant immédiatement quelques pas vers l'arrière.

D'une main, il frottait ses yeux et de l'autre il battait énergétiquement l'air avec son épée.

— Ça t'apprendra à vouloir me toucher, espèce de merdaille! Maintenant, tu n'y vois plus rien! murmura la magicienne en clopinant un peu plus loin pour ne pas être atteinte par les coups portés par son adversaire maintenant aveugle.

Marack, de son côté, engagea le Yob avec bouclier et marteau. La créature était trop forte pour lui et elle le savait. Le soldat du roi s'amusait avec le guerrier comme le ferait un

prédateur avec une proie inoffensive. Marack aurait pu tenir tête à cette espèce d'ogre, mais ses intentions étaient de rejoindre son groupe et surtout de protéger Miriel.

— Je crois qu'il est temps de mettre en pratique ce que j'ai appris dernièrement! s'encouragea le guerrier.

Whack! Bunk! Whack! Bunk! Swoop!

— Cette fois, c'est la bonne! s'écria Marack en esquivant la dernière attaque de son adversaire.

Bunk!

— Et un coup de bouclier dans l'estomac! rugit Marack en s'élançant de toutes ses forces.

Oufff! se dégonfla le Yob en reculant de quelques pas.

Le jeune Viking utilisa ces quelques instants d'inattention pour sauter à côté du colosse. Dans le même élan et avec toute l'énergie du désespoir, il empoigna son marteau de Lönnar à deux mains et le balança exactement sur le côté de la cuisse du Yob. *Clac!*

— *AARRRGGGHHH!* hurla le Yob en pliant les genoux.

L'adversaire de Marack s'effondra sur le sol en se tordant de douleur. Il se tenait la cuisse et hurlait à mort. Le guerrier le regarda et remercia mentalement son père pour son enseignement. Il leva la tête pour apercevoir le shaman qui engageait ses amis.

Au même moment, Worthag se lassa de parer les futiles attaques du démon à la minuscule épée. Il avait terrassé des adversaires bien plus imposants que l'avorton qui se trouvait devant lui. Il perdait littéralement son temps.

« Un de mes Yobs a déjà succombé à l'attaque sournoise du chien guerrier, et l'autre Sotteck a été mis hors service par une pucelle, grommela-t-il. Après tout, un seul prisonnier sera sans doute suffisant. Je vais en finir avec ce minus de démon noir et je m'emparerai par la suite de la démone. De toute façon, elle est blessée et n'a qu'un bras pour tenir son ridicule bâton à tête de bélier. »

— Continue, Ara! Ne le lâche pas, j'y suis presque! s'exclama Miriel à son ami.

Bien que le Salkoïnas ne fût pas harmonisé pour elle, heureusement, certains de ses pouvoirs lui étaient néanmoins accessibles. Miriel se concentra avec ferveur pour invoquer un *Bélier de force*. Elle avait entendu de nombreuses histoires racontées par le géant Lassik au sujet des druides de Lönnar, mais n'avait encore étudié que la théorie de cette attaque.

— Tu vas voir, démone, tu es à moi! gesticula le shaman en prononçant les paroles d'une attaque magique.

— Snüa![72] cria la druidesse à son partenaire de combat.

---

[72] Snüa! : ordre scandinave d'effectuer une rotation sur soi-même

Conditionné à répondre d'instinct à cet ordre, Arafinway sentit le dos de son amie contre le sien et pivota aussi rapidement qu'il le pouvait. Miriel se retrouvait devant le shaman, la tête de son bâton d'office pointée sur leur adversaire.

— Tiens, prends ça, c'est de la part du jeune druide que tu as terrassé sur la berge, annonça Miriel avant de libérer le puissant *Bélier de force de Lönnar*.

Subitement, une brillante énergie magique en forme de tête de bélier se forma devant le Salkoïnas et, en un instant, se rua sur l'adversaire désigné par celle qui le commandait.

Bong!

— Humpf! Aaaahh! hurla le grand Sotteck en encaissant le coup en pleine poitrine.

Le souffle coupé, il n'eut pas le temps de compléter son sortilège maléfique.

Miriel n'avait jamais encore employé ce type d'attaque dans ses entrainements et, de ce fait, la puissance commandée fut des plus excessives. Marack qui arrivait par le côté, esquiva l'offensive de son amie juste à temps.

Worthag recula dans un prodigieux élan. Sur sa lancée, il percuta son Sotteck toujours aveugle qui gesticulait avec sa redoutable épée.

« Bien… il a amorti ma chute, pensa rapidement le shaman encore en déséquilibre.

Cependant, le Sotteck poursuivit sa route et alla s'écraser directement sur la sculpture du Géant

bleu, au beau milieu de la pièce. Dans un bruit épouvantable de cristal brisé, l'œuvre magistrale s'écroula en partie sur le soldat qui se débattait encore dans la noirceur.

— Quoi? fit le géant en se retournant promptement. Grrrraaaaaaar! tonitrua-t-il en voyant son travail endommagé par un des intrus. Raaaaaaahhhh!

Le maître des lieux revint à son adversaire, l'écume de rage aux lèvres.

Le Yob Urulg, qui n'avait pas réussi à infliger de blessure sérieuse au géant, recula immédiatement rejoindre le Yob Toghat, toujours sur le sol à se masser la cuisse. Le shaman se plaça loin en retrait derrière eux. Ils lui serviraient de bouclier au besoin.

Avec effroi, les trois regardèrent le Géant bleu avancer rapidement sur eux. Ses pupilles s'étaient rétrécies à la verticale, détail qui n'y était pas quelques instants auparavant.

— Fuyez, les jeunes! Je m'occupe d'eux, grogna le géant en enlevant sa cape de fourrure blanche pour se préparer à l'engagement. Prenez le tunnel à l'autre extrémité de cette pièce. La sortie n'est pas très loin, il faut juste garder la gauche à chaque embranchement. Quoiqu'il arrive, vous devez me promettre de ne pas revenir sur vos pas, de ne pas mentionner mon existence et de ne jamais remettre les pieds à l'intérieur de mon domaine. Jurez-le-moi! exigea-t-il.

— On le jure! On le jure! répondirent les futurs
   gardiens en s'éloignant en vitesse.

— Maintenant, partez! ordonna-t-il.

Le colosse attendit quelques instants et se posta
devant l'arche de la sortie pour s'assurer
qu'aucun des intrus ne puisse poursuivre ses
jeunes amis.

Ce moment de répit donna la chance aux soldats
du roi de se regrouper et de reprendre des forces.

— Tu aurais dû te joindre à nous au lieu de
   défendre ces couards! déclara le shaman dans
   la langue du géant. Ils se sauvent et te laissent
   seul contre nous. Nous sommes quatre contre
   toi, maintenant! Euh… Trois guerriers contre
   un seul géant, c'est amplement suffisant!
   ajouta-t-il en jetant un rapide coup d'œil à son
   Sotteck toujours aveugle qui balayait l'air de
   son épée à ses côtés.

— Je n'aime pas la bagarre, mais je n'ai jamais
   dit que l'artiste que je suis ne savait pas
   comment se défendre! rugit le Géant bleu.

En l'espace de quelques secondes, le maitre des
lieux se transforma en un imposant Dragon
blanc! Ses yeux flamboyèrent de colère. Sa tête
cornue oscillait maintenant dans un va-et-vient
menaçant. Ses grandes ailes blanches et griffues
se déployèrent sur son large dos vigoureux. Ses
quatre pattes ornées de griffes acérées grattaient
le sol d'impatience et sa longue queue écailleuse
claqua sur le sol gelé dans un bruit épouvantable.

Les envahisseurs retinrent leur souffle devant une telle image de force. Donc, les dragons pouvaient se transformer en d'autres créatures! Dans un soubresaut de lucidité, ils évaluèrent la distance entre eux, le monstre et la porte vers l'extérieur.

Brusquement, le dragon généra une puissante exhalation[73] glaciale qui fit frissonner d'horreur les soldats du roi. Il créa ainsi un mur de glace opaque qui recouvrit entièrement l'arche de la sortie.

Foufffffffffff!

— Maintenant, vous allez voir ce qu'il en coute pour avoir osé endommager une de mes œuvres. Quatre, as-tu dit, shaman? Très bien, j'aurai quatre nouvelles statues de glace dans ma galerie! se réjouit le dragon.

Foufffffffffff!

Le Sotteck aveugle ressentit le froid et figea instantanément, la bouche ouverte et l'épée levée.

— Maintenant, vous êtes vraiment trois!

— *Aaaaaaaaaaaah!* Courez! Sauvons-nous! Vite! Retournons par le corridor de notre arrivée! hurlèrent les soldats du roi en retournant vers l'entrée.

— Je me demande bien quelles autres de mes créations vous avez pu détériorer sur votre chemin, déclara d'une voix forte le Dragon

---

[73] exhalation : expiration, souffle

blanc en colère. Nous allons jouer un petit jeu funestement mortel : je vous laisse encore quelques minutes et ensuite, je viens vous chercher!

Les trois derniers membres de l'expédition en provenance de Bishnak se sauvèrent dans le dédale de corridors du fabuleux palais de glace.

Chapitre 15

Sauve qui peut!

Les jeunes se sauvèrent de la grande salle sans en demander plus. Le cœur battant, ils entendirent derrière eux un grondement de colère comme ils n'en avaient jamais entendu auparavant. Le sol en avait vibré sous leurs pieds.

Miriel souhaita que leur nouvel ami s'en sorte sans trop de blessures, mais elle n'était pas inquiète pour lui. Elle était seulement triste de savoir que le chef-d'œuvre centenaire avait été abimé de façon irrémédiable. Ou peut-être que non…

À peine étaient-ils tous sortis de la pièce et bien engagés dans le corridor que l'arche de la chambre circulaire s'était refermée par un épais mur de glace.

— Plus vite! Plus vite! Il faut nous enfuir le plus rapidement possible! hurla Marack en assistant Roxane qui clopinait sur sa cheville encore un peu douloureuse.

Ils traversèrent plusieurs corridors et, soudain, le guerrier s'arrêta net devant de nouvelles sculptures richement décorées.

— Mais qu'est-ce que tu fais, il faut se sauver! insista Arafinway à quelques foulées de lui.

— Regarde, là, dans la pièce, on dirait de l'or et des joyaux sur les statues, murmura le Viking les yeux écarquillés de désir.

— Mais non, ce ne sont que des coups de pinceau merveilleusement bien exécutés, renchérit Roxane qui n'avait qu'une idée : sortir de là.

— Allons-y!!!! insista l'elfe en le tirant par le bras.

— Non, je vous le dis, il s'agit véritablement d'un trésor. Un butin à portée de notre main… fin prêt à être transporté chez nous! s'entêta le guerrier.

— Tu n'y penses pas! Est-ce que tu veux courir la chance de voler un géant? s'indigna Miriel. Nous n'avons pas de temps à perdre, je t'ordonne de continuer. Tu es le seul suffisamment solide et intact pour supporter Roxane afin que nous puissions nous évader de cette glacière!

— C'est bon! Je ne faisais que contempler… et rêver! se défendit Marack, déçu.

« Il faudra bien que je revienne ici un jour récupérer tout ça… », songea-t-il en soulevant la

magicienne dans ses bras pour rattraper son retard et rejoindre ses amis.

— Là! Je vois l'extérieur, le soleil! Nous sommes le jour! s'égaya Arafinway en s'élançant vers la sortie.

— Attends… hurla Roxane.

Booonk!

Dans un choc à la hauteur de son élan, l'éclaireur se heurta vigoureusement à un mur presque invisible. Le pauvre elfe s'allongea de tout son long sur le dos, sans comprendre ce qui venait de se passer.

— Ara! Est-ce que tu vas bien? demanda Miriel maintenant à son chevet.

— Je vais prendre du cassis et des noix moi aussi… et de ta pommade à la fleur d'arnica… j'ai soudain très mal à la tête! répondit-il tout étourdi.

— J'ai tenté de te prévenir… C'est un mur de glace translucide. Une autre sculpture de notre Géant bleu sans doute, observa la magicienne.

— Écartez-vous, je vais tenter de le faire fondre, ordonna Miriel.

— Nous allons le faire toutes les deux! insista Roxane.

La magicienne empoigna son bâton d'artilleur et sélectionna cette fois-ci un cristal vert.

— Concentre-toi sur le bas, moi je vais atteindre le haut du mur. Surtout, ne restez pas trop près de nous, suggéra Roxane à ses compagnons.

Miriel acquiesça, et rapidement chacune se mit à invoquer sa magie.

La druidesse fit apparaître une sphère de feu d'environ une coudée et demie de large. Elle la fit rouler jusqu'au mur par la pensée. La boule incandescente grugeait lentement mais surement le mur de glace et créait un petit ruisseau en retour.

Roxane avait opté pour une approche moins enflammée. Elle s'élança avec son bâton d'artilleur et le projectile éclata sur le mur. Immédiatement, une substance verte fluorescente éclaboussa une large surface. L'acide magique commença à désagréger à son tour le mur de glace juste au-dessus de la boule de feu.

Le travail conjoint des deux magies eut vite fait de détruire la fenêtre de glace.

— C'est bon, je crois que c'est suffisamment large pour que nous puissions passer, jugea la druidesse.

Miriel cessa sa concentration sur la magie du feu, et la sphère se dissipa aussitôt.

— Attendez! Je vais m'assurer qu'aucun acide ne nous tombera sur la tête pendant notre passage, ordonna la druidesse en retenant de justesse Marack qui s'élançait le premier.

Elle invoqua l'élément de l'air. Aussitôt, une bise froide figea l'eau qui s'écoulait d'un peu partout. L'acide fut emprisonné dans la glace.

— Voilà, le passage est libre de tout danger! déclara-t-elle, satisfaite.

Brusquement, une large lézarde apparut dans la baie vitreuse. *Crick! Crick! Craaaack!*

— Vite! Il faut sortir, la paroi ne tiendra pas bien longtemps, les empressa le guerrier.

Dès l'instant où ils empruntèrent le passage, les compagnons perdirent pied et glissèrent jusqu'à l'extérieur.

— Weeeeeeeeee!

L'eau, la glace puis le vent avaient créé une glissade naturelle qui descendait le long de la falaise. Les compagnons furent trimbalés sur le dos ou les fesses jusqu'en bas et entendirent derrière eux un fracas assourdissant.

Crrrrrack! Boummmmmm!

La fenêtre de glace fragilisée s'effondra. Les débris s'empilèrent en refermant derrière eux l'accès au tunnel, au Géant bleu et à ses multiples trésors…

— Nous avons promis de ne rien dire à son sujet et de ne jamais revenir. Vous en avez tous fait le serment, insista Miriel en se relevant péniblement.

Elle regarda dans les yeux chacun des membres de son groupe qui secouaient leurs vêtements.

— Il nous a sauvé la vie! reprit-elle. Je n'ai pas l'intention de renier ma parole et je m'attends à ce que ce soit de même pour chacun d'entre vous. Sommes-nous bien d'accord?

— Oui, Cheffe, répondirent Roxane et Arafinway.

— Marack?

— Oui, oui, je n'en parlerai jamais et je ne reviendrai jamais récupérer les trésors enfouis sous des tonnes de pierre et de glace, jura le guerrier à contrecœur.

— De toute façon, je crois que ce géant avait plus d'un tour dans son sac. Je ne serais pas surprise, si celui-ci déménageait tout son attirail d'artiste sous peu, fit observer Miriel. Il recommencerait la création d'un nouveau palais, juste pour être certain de ne pas être de nouveau dérangé. Il y a plusieurs cavernes de glace sous la montagne, c'est une multitude de possibilités pour un artiste de son calibre!

— Tu crois vraiment qu'il transporterait tout ailleurs? Vraiment tout? sonda le guerrier.

— Marack, tu as promis! le réprimanda Miriel.

— Ce n'était qu'une simple interrogation, rien d'autre, je te le jure! assura le guerrier.

Chapitre 16

Remitto ad Terram

Les futurs gardiens descendirent tant bien que mal le flanc nord des montagnes d'Orgelmir. Marack jetait machinalement des coups d'œil nerveux derrière eux. Pourtant, il savait pertinemment que plus personne ne les poursuivait depuis longtemps.

Ils entreprirent enfin le chemin vers leur forteresse. Arafinway les mena de nouveau à l'endroit de la Jokulsa où ils pouvaient traverser à gué. Sur place, le radeau était encore là, au même endroit, qui les invitait à traverser au sec. De toute façon, il fallait le ramener et le camoufler sous le taillis de l'autre côté de la rivière.

Miriel marchait en silence en massant de temps en temps son bras douloureux. Elle réfléchissait à la rencontre du retour. Plusieurs questions seraient soulevées et elle devra y répondre en toute honnêteté. D'ailleurs, les druides savaient bien comment déceler les mensonges.

« Je ne pourrai pas cacher l'intervention du Géant bleu, c'est incontournable, songea-t-elle. Je puis cependant ne pas dévoiler le fait que c'était un artiste… De plus, je suis convaincue que de situer sa galerie d'art n'est pas nécessaire. »

— Cheffe! Hinrik est par là! précisa l'éclaireur.

— Nous pouvons couper à travers bois immédiatement, tu sais? appuya le guerrier.

— Oui, je sais, mais nous avons une dernière chose à faire avant de nous rendre à la maison, justifia Miriel.

— Je sais ce que tu veux faire. Je voulais simplement t'éviter de voir les corps de nos amis, confessa Marack. Il s'est passé quelques jours déjà et je ne sais pas dans quel état nous allons les retrouver. Les loups puis les charognards … La loi de la nature est parfois cruelle.

« La survie des uns est assurée par le sacrifice de certains… », ajouta-t-il mentalement en citant son père.

— Je n'ai pas l'intention de me désister de cette tâche. Nous allons nous assurer que nos

valeureux compagnons reposent en paix selon nos traditions vikings, décida la druidesse sur un ton sans équivoque.

— Bien, Cheffe! Je prends les devants! signala l'éclaireur.

— Ah! non…! pas un délai supplémentaire…, se plaignit la magicienne.

— Moi, je ferme la marche avec Roxane, conclut le guerrier en la soulevant par le bras.

— Aaahhh, soupira-t-elle sans rien ajouter.

Après avoir marché presque deux heures, les jeunes aperçurent au loin de nombreux urubus qui traçaient de larges cercles au-dessus de la zone de combat. Signe que les victimes servaient déjà de festin à quelques prédateurs. Marack empoigna son marteau de guerre, prêt à chasser tous les intrus.

Un peu avant d'arriver sur le monticule en amont du campement du groupe d'Yrsa, ils reçurent en pleine figure les effluves nauséabonds des corps en décomposition. Rapidement, ils installèrent des mouchoirs ou un pan de leur cape autour de leur nez afin d'atténuer l'épouvantable odeur.

Sur place, le choc fut violent. Les futurs gardiens n'avaient jamais vu un spectacle aussi désolant. Ils sentirent les larmes leur monter aux yeux et se retinrent pour ne pas éclater en pleurs. Plusieurs cadavres avaient été déchiquetés et trainés plus loin en lambeaux.

— C'était nos amis... balbutia Arafinway en étranglant un sanglot.

Avec courage, les compagnons chassèrent les charognards et préparèrent les corps de leurs défunts amis. Ils ramassèrent leurs effets personnels et les disposèrent convenablement.

— Je me suis assuré que chaque guerrier avait une arme à la main, spécifia Marack. Leur entrée dans le Valhalla sera ainsi assurée. Tyr, dieu de la guerre et de la justice, les accueillera avec une corne d'hydromel à la main et une invitation à raconter leurs exploits au combat dans le GreätHall.

— J'ai également replacé un arc dans l'une des mains des deux éclaireurs du groupe d'Yrsa. Dans l'autre, j'ai déposé une branche d'arbre, soulignant leur appartenance à la nature. Ils étaient tous deux des disciples de Lönnar, je trouvais le geste approprié, déclara Arafinway. J'ai aussi récupéré un arc et complété un nouveau carquois de flèches, je suis de nouveau armé, les avisa-t-il.

— C'est une bonne idée. Ils auraient apprécié ton geste, Ara, surtout venant d'un éclaireur elfique comme eux, nota Miriel d'une voix rauque.

— Quelle est la suite maintenant? demanda Roxane qui participait au rituel comme elle le pouvait.

— Je dois effectuer une remise à la terre pour chacun d'entre eux. Ils sont nombreux, je ne sais pas combien de temps cela va me prendre, se désola la druidesse en voyant tous ces amis morts autour d'elle.

— Ne t'inquiète pas, nous allons les veiller. Prends tout le temps que cela prendra, la rassura le guerrier. Je n'ai vu aucune autre créature menaçante nous suivre depuis la montagne ni dans les environs.

La druidesse essuya ses larmes et se recueillit devant le Gardien Nordhal. Elle ferma les yeux et pria avec ferveur Lönnar, dieu de la nature et de la justice, afin qu'il lui donne l'énergie nécessaire pour accomplir le rituel druidique. De sa main valide, elle fit un geste circulaire afin de purifier les lieux des énergies négatives.

— *Remitto ad Terram*[74] ! murmura-t-elle enfin.

Aussitôt, le sol sous le corps sembla plus mou. Des lierres et des racines poussèrent par-dessus, l'enroulant et l'entrainant inexorablement vers le fond, dans la terre. Peu à peu, la première dépouille disparut complètement.

Miriel recommença ensuite, inlassablement. Chacun des amis enveloppé par la magie des druides fut accueilli au sein de la nature et enseveli à l'endroit où il y avait été déposé.

---

[74] *Remitto ad Terram* : rite druidique permettant à la terre de reprendre les dépouilles

— Je pense que je peux continuer avec les autres, déclara-t-elle. Même si c'était nos ennemis, ils méritent aussi une sépulture.

Voyant qu'ils y passeraient le reste de la journée, Marack soupira.

Il entraina Roxane à l'écart des odeurs, juste un peu plus haut et à l'abri de rochers. Il commença à préparer le campement pour passer la nuit. Arafinway partit à la chasse avec son nouvel arc pour nourrir ses amis, sa famille… Il revint peu de temps après avec quatre beaux poissons dodus.

En soirée, assis autour du feu, chacun était perdu dans ses pensées. Ils écoutaient crépiter le feu et le vent de la plaine qui sifflait entre les branches des taillis. Roxane brisa soudainement le silence triste qui s'était installé.

— Vous savez quoi? Finalement, je crois que la tâche de gardien du territoire ne me conviendra pas, déclara-t-elle en levant le nez. Je vais retourner à la Capitale au plus tôt et tout expliquer à mon père. Il comprendra que ma place de mage artilleur est vraiment auprès d'eux! « Du moins, je l'espère… », ajouta-t-elle tout bas.

Ses trois compagnons la regardèrent avec surprise, mais ils étaient décidément trop exténués pour argumenter.

Le groupe de futurs gardiens venait de terminer sa première mission. Ce qui devait être une punition s'avéra en fait une dure leçon de vie.

Ils n'étaient pas encore prêts pour assumer le rôle de gardien du territoire. Néanmoins, ils avaient eu un avant-goût de l'aventure et de l'importance du travail qu'ils allaient accomplir. Cela motiva encore plus Miriel, Marack fils de Marack et Arafinway dans leur détermination à devenir les protecteurs de leur grande, mais fragile communauté d'elfes et de Vikings.

Suivez les futurs gardiens du territoire
dans leurs cinq prochains entrainements!

www.seyrawyn.com

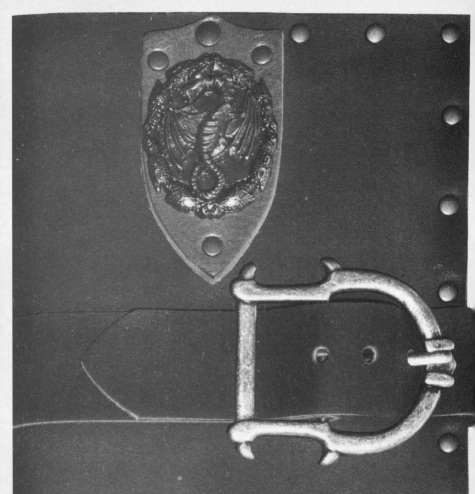

Grimoire du voyageur

Le cycle lunaire sur Arisan

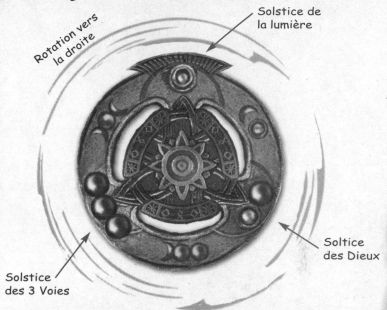

Rotation vers la droite

Solstice de la lumière

Soltice des Dieux

Solstice des 3 Voies

Amulette mécanique et rotative des druides de Lönnar qui représente le cycle lunaire sur Arisan.

Un cylcle lunaire = 1 année = divisé en 3 solstices
eux-mêmes divisés en 3 mois
1 mois = trente jours = 3 semaines de 10 jours
Donc, 1 an = 9 mois = 3 fois 90 jours = 270 jours / an

SOLSTICE DE LA LUMIÈRE (printemps) :
3 lunes blanches superposées très brillantes
dont le Jour 1 = Jour du Renouveau

SOLSTICE DES DIEUX (été) : 2 lunes oranges visibles

SOLSTICE DES TROIS VOIES (automne) : 3 lunes mauves séparées

Note : les feuilles des arbres suivent le rythme des saisons : au Solstice de Lumière, elles sont vertes pâles, foncissent en été et rougissent en automne. Elles ne tombent pas mais redeviennent vertes pour le jour 1.

Arisàn
NORD QUEST

YNGVAR

GOUSGAR

BAIE DES VALKS

ROCHEUSES D'ORTAN

MONTAGNES BRISINGAMEN

CAPITALE VIKING
ALDKINGAR

RIVIÈRE NJORD

FEYGOR

CRATÈRE D'UTGARD

Terres d'Azur

VANIRIAS

FORÊT DES ANCÊTRES

Le Grand L

HINRIK

CHÂTAIGNER D'OC'H

MONTS KRÖNEN

PUY DE LA LANCE DE SKIRMI

RIVIÈRE JOKULSA

FORÊT DES BOIS NOIRS

RIVIÈRE CRISTAL

MONTAGNES D'ORGELMIR

LES GRIFFES DE SKARFANG

Arisan
Nord Est

PESEK

LES HAMARKIS

LE DU
ORPION BLANC

VALLÉE
DES TROLLS

ROCHEUSES
D'ORTAN

PIC DE
MUHA RANIR

VRAXAN

Terres
d'Al Baher

PYRFARAS

MONTS SITHÉINS

GORGE DE
VANGOROD

ARAIS
KARUL

UPRAG

KREL

BISHNAK

MÂCHOIRES DE TITAN

HUTES
CRISTAL

DRIKDAROK

OASIS
D'OSSANDRA

DESERT

LANES

Légende

□ ⇄ 2 jours de marche
⇄ 16 lieues
⇄ 4 jours en montagnes

Note : les villes ne sont pas à l'échelle

Quelques personnalités de notre monde

PREMIERS GARDIENS ET BÂTISSEURS

Le Premier Gardien : celui qui avait la charge de protéger *La Source* avant l'arrivée d'Arminas et de sa colonie

Arminas, demi-elfe, Grand druide de l'Ordre de Lönnar – habite Feygor

Saint-Beren, elfe, Grand Prêtre de l'Église de Tyr – habite Alvikingar

Grim McGray, humain viking, marchand et Jarl d'Alvikingar et son épouse **Marie-Calina**, humaine viking et archiviste pour Feygor

Hindwimrin Tinwë (Fenaro), elfe, Seigneur Elfique, Commandant de Vanirias

Lars, scalde, humain viking – Jarl de Yngvar

Lassik Patte d'ours, Géant des montagnes d'Orgelmir– habite Hinrik

Marack père, humain viking – Jarl de Hinrik

Njal, humain viking, Capitaine de la tour de Gousgar

NOS FUTURS GARDIENS DU TERRITOIRE

Arafinway Merfeuille, éclaireur, elfe des bois, habitait avec ses parents à Feygor

Marack fils de Marack, guerrier viking de Hinrik, humain

Miriel Calari, fille de Arminas, elfe des bois, druidesse de l'Ordre de Lönnar, habitait Feygor

Roxane Cenak, humaine, habite Alvikingar, mage artilleur

NOS ENNEMIS dans cette aventure

Arakher, Roi de Pyrfaras, Géant de pierre

Les soldats du roi :
Worthag, shaman Sotteck
Yobs : Urzog, Urlug et Toghat
quelques **Sottecks** et **Mourskas**

v

Armes de Gardiens

LE ROX
Bâton de
mage artilleur

création conjointe
Coliseum Concept
et Calimacil

Design Seyrawyn
à titre de
suggestion
seulement

Arme en mousse injectée
pour Grandeur Nature

Calimacil .CA

MARTEAU
CALFERA
du dragonnier
(1 ou 2 mains)

MARTEAU
DORGEN
de nain
(1 ou 2 mains)

MARTEAU
de Lönnar
du GUERRIER
(1 ou 2 mains)

MARTEAU
de Lönnar
du GARDIEN
(court)

MARTEAU
de Lönnar
de JET
(de lancer)

Salkoïnas

Quelques créatures

Acer Nigrum : arbre proche de l'érable à sucre

Barbare : humain agressif de grande taille ayant le corps recouvert de tatouages

Chimère : ancienne créature ressemblant aux dragons

Crevasse de rocher : menace de pierre qui capture ses proie en ouvrant subitement le sol

Dragon : créature reptilienne d'un niveau de conscience supérieur à toutes les autres créatures, 10 races différentes avec chacun leurs caractéristiques et forces magiques; espérance de vie : +1000 ans, jusqu'à 300 ans en éducation dans sa coquille

Dreki et **Falsadur-dreki** : pseudo-dragon, demi-dragon

Élémental : être de bas niveau dans son élément : feu, air, eau ou terre

Elfe : créature humanoïde, très intelligente, entre 1,3 et 1,7 mètres (5'3 à 5'6 pieds), 45 à 70 kg, (100 à 130 lbs)

Elfe des bois : elfe préférant la vie simple

Elfe gris : elfe d'une caste supérieure plus raffinée

Garfadet : hybride entre un lutin et une autre petite créature

Géant des montagnes : créature humanoïde, intelligent, peau claire, poilu, plus gras que musclé, 3,4 mètres (12 à 14 pieds), 350 kg (700 lbs)

Géant de pierre : créature humanoïde, intelligent, peau grise très épaisse, résiste au feu, imberbe, très musclé, 3,4 m (12 à 14 pieds), 350 kg (700 lbs)

Géant des sables : créature humanoïde, intelligent, peau beige, musclé et rapide, 3,4 m (12 à 14 pieds), 350 kg (700 lbs)

Gnome : petite créature humanoïde, intelligent

Gobelin : créature légendaire, anthropo-morphe et issue du folklore médiéval européen. 4 à 5 pieds de haut, plutôt laids. Leur tête a la forme d'un œuf, leurs oreilles sont grandes et pointues.

Golem : être artificiel à forme humanoïde que l'on dote momentanément de vie par un rituel quelconque

Griffon : animal mythique à tête d'aigle et corps de lion

Hommes-félins : hybride entre un homme et un félin

Humain : créature intelligente

Kalchère : créature fantastique du monde de Seyrawyn, domestique, quadrupède du désert

Kobold : créature reptilienne de très bas niveau

Méduse des rocailles : créature gélatineuse qui liquéfie ses proies avec de l'acide

Molecraw : créature des marais

Morjes : créature marine cousine des Yobs, odeur nauséabonde, habitent le village côtier de Pesek, peau de couleur tan, 1,7 mètre et plus (6 à 7 pieds), 100 kg (220 lbs)

Mourska : créature fantastique du monde de Seyrawyn; hybride entre un gobelin et autre créature, bon soldat, trapu, peau verte kaki, poilu, yeux noirs, 1,5 mètres (5 pieds), 100 kg (220 lbs)

Nain : humanoïde de courte taille pouvant voir dans l'obscurité

Salix babylonica : saule pleureur aux longues branches

Satyre : être à corps humain, à cornes et pieds de chèvre, de bouc.

Skass : sorcière pour les vikings, Heksen

Snöri : créature fantastique ressemblant à une hyène bridée avec un dinosaure carnassier

Sotteck : demi-orc, créature humanoïde hybride entre un orc et un humain, intelligent, peau tan, 1,7 mètres et plus (6 à 7 pieds), 90 kg (200 lbs)

Troll : créature chevelue, corps élancé, longs bras, peau verte, 2,75 mètres (9 pieds), 250 kg (625 lbs)

Yob : ogre, créature humanoïde, intelligent, commandant d'armée, peau jaunâtre, 2 mètres et plus (6 à 8 pieds), 195 kg (430 lbs)

Proportions entre les races

6 pieds
env. 2 m

GÉANT	YOB	TROLL	SOTTECK	HUMAIN	HUMAIN	MOURSKA	ELFES	NAINS
(env. 2 hauteurs d'homme) de pierre, des montagnes des sables	(ogre)		demi-Orc civilisé	barbares	viking normal	demi-orc bestial	mâle femelle	

Liste incomplète de mots et de parlures pour améliorer sa jactance

à croupetons : dans une position accroupie

altier : hautain, qui marque la hauteur, l'orgueil du noble

artificieux : rusé, machiavélique, fourbe

barbaque : viande grillée

barda : équipement, bagage

Bélier de force ou **Force du bélier** : projection d'une boule de force ayant la forme d'une tête de bélier

belliqueux : agressif

besace : grand sac de cuir ou de tissu

bienséance : conduite sociale en accord avec les usages, respect de certaines formes

bilboquet : petit jouet composé d'un manche à bout pointu sur lequel il faut enfiler une boule percée qui lui est reliée par une cordelette

bivouac : campement temporaire

bondi : homme libre

brassard : pièce d'armure protégeant le bras

brunante : crépuscule, fin du jour, tombée de la nuit

brunoise : légumes coupés en très petits dés, utilisés comme garniture

cassette : coffret

catimini : en cachette, discrètement, secrètement

chefaillon : responsable sans envergure, imbu de ses pouvoirs, petit chef

coudée : ordre de grandeur pour mesurer la hauteur, soit un avant-bras d'homme, un pied ou trente centimètres

déférence : considération respectueuse que l'on témoigne à quelqu'un, souvent en raison de son âge ou de sa qualité

entrelac : ornement composé de motifs où les lignes s'entrelacent

épée bâtarde : épée dite une main et demie; elle se manie d'une seule main ou à deux mains

escarcelle : grande bourse suspendue à la ceinture

escarmouche : petite bataille

Liste de mots pour améliorer sa jactance (suite)

estropié : invalide, éclopé

eustache : couteau de poche à virole et à manche de bois, servant d'arme

exhalation : expiration, souffle

flemmard : qui n'aime pas faire d'efforts, travailler; synonyme de mou, de paresseux

fortin : petite forteresse

foulée : ordre de grandeur pour mesurer la longueur, soit un pas d'homme, un pied ou trente centimètres.

foulée : ordre de grandeur pour mesurer la longueur, soit un pas d'homme, un pied ou trente centimètres

fourchon : dent d'une fourche, d'une fourchette

frondaison : l'ensemble des feuilles d'un végétal

fulmigineux : rempli de fumée

galéjade : histoire inventée ou exagérée, plaisanterie généralement destinée à tromper

gantelet : épreuve physique ou partie d'armure qui recouvre la main

GreätHal ou **Grande Halle** ou **Grand Hall** : grande salle de rassemblement dans un fief viking

gué : endroit d'une rivière où le niveau de l'eau est assez bas pour qu'on puisse traverser à pied

hâbleuse : personne qui a l'habitude de parler beaucoup en exagérant, en promettant, en se vantant

hilarité : rire

Holmgang : duel viking fait exprès pour régler des différends, jusqu'à la première blessure ou jusqu'à la mort

ire : colère

Jarl : responsable d'une ville viking

Krieger : guerrier vétéran viking

lascar : homme ratoureux, malin

lieue : distance que peut parcourir un homme à pied en une heure soit environ trois milles ou presque cinq kilomètres

mal famé : inquiétant, dangereux, qui a mauvaise réputation, louche, suspect

marcassin : jeune sanglier

Mourska : créature fantastique du monde de Seyrawyn, hybride entre un gobelin et une autre barbare, trapue, peau verte kaki, poilu, yeux noirs

Liste de mots pour améliorer sa jactance (suite)

pantois : impuissant, immobile

pleutre : peureux, poltron

psalmodier : murmurer en prière

rembrunir : assombrir, attrister

Remitto ad Terram : rite druidique permettant à la terre de reprendre les dépouilles

ronchonner : manifester son mécontentement en grognant, en protestant avec mauvaise humeur

rouscailler : protester, rouspéter

scalde : skald, érudit viking, poète, celui qui sait écrire, qui possède la connaissance des anciens

Skål! : mot scandinave utilisé pour porter un toast

Snöri : créature fantastique ressemblant à une hyène bridée avec un dinosaure carnassier

Snüa! : ordre scandinave d'effectuer une rotation sur soi-même

Solstice des Dieux : deuxième trimestre d'une année sur Arisan, qui compte trois solstices de trois mois chacun

Sotteck : demi-orc, hybride orc avec un humain

sous-fifre : subalterne, tout petit employé

strandhögg : terme viking, petit commando préparé pour un raid éclair

surcot : vêtement porté par-dessus la tunique

sustenter : combler, apaiser

targuer : se prévaloir avec ostentation, se vanter; se flatter

terrasser : abattre, rendre incapable de réagir, anéantir

Thing : assemblée générale regroupant des seigneurs et des hommes libres pour aborder et régler différents sujets

toiser : regarder avec défi ou mépris

tord-boyaux : alcool artisanal, eau-de-vie

trique : gros bâton utilisé comme arme pour frapper.

umbo : partie ronde en métal sur un bouclier qui protège la main

Valhalla : dans la mythologie nordique, paradis où les valeureux Vikings défunts sont amenés

véhémence : vigueur, énergie

venelle : ruelle

vitupérer : élever de violentes protestations, pester, protester

Yob : créature fantastique du monde de Seyrawyn, ogre à la peau jaunâtre

Ensemble
Oeuf de dragon

inluant :
- 1 Oeuf de Dragon de collection
- 1 Boursette en cuir
- 1 Serment du dragonnier
- La Carte d'adoption avec photo du dragon

www.seyrawyn.com

Et toi, deviendras-tu aussi un Gardien du territoire?

Retrouvez des informations
sur les personnages,
les créatures, les œufs de Dragons
et les produits dérivés

WWW.SEYRAWYN.COM

©2015